D0754910

FRANÇOIS LE PETIT

Chronique d'un règne

DU MÊME AUTEUR

LA SAIGNÉE, Belfond, 1970.
COMME DES RATS, Grasset, 1980 et 2002.
FRIC-FRAC, Grasset, 1984.
LA MORT D'UN MINISTRE, Grasset, 1985.
COMMENT SE TUER SANS EN AVOIR L'AIR, La Table Ronde, 1987.
VIRGINIE Q., parodie de Marguerite Duras, Balland, 1988. (Prix de l'Insolent.)
BERNARD PIVOT REÇOIT..., Balland, 1989 ; Grasset, 2001.
LE DERNIER VOYAGE DE SAN MARCO, Balland, 1990.
UBU PRÉSIDENT OU L'IMPOSTEUR, Bourin, 1990.
LES MIROBOLANTES AVENTURES DE FREGOLI, Bourin, 1991.
MURUROA MON AMOUR, parodie de Marguerite Duras, Lattès, 1996.
LE GROS SECRET, Calmann-Lévy, 1996.
LES AVENTURES DE MAI, Grasset/Le Monde, 1998.
LA BATAILLE, Grasset, 1997. (Grand Prix du roman de l'Académie française, Prix Goncourt et Literary Award 2000 de la Napoleonic Society of America.)
IL NEIGEAIT, Grasset, 2000. (Prix Ciné roman-Carte Noire.)
L'ABSENT, Grasset, 2003.
L'IDIOT DU VILLAGE, Grasset, 2005. (Prix Rabelais.)
LE CHAT BOTTÉ, Grasset, 2006.
LA GRAMMAIRE EN S'AMUSANT, Grasset, 2007.
CHRONIQUE DU RÈGNE DE NICOLAS Ier, Grasset, 2008.
DEUXIÈME CHRONIQUE DU RÈGNE DE NICOLAS Ier, Grasset, 2009.
TROISIÈME CHRONIQUE DU RÈGNE DE NICOLAS Ier, Grasset, 2010.
QUATRIÈME CHRONIQUE DU RÈGNE DE NICOLAS Ier, Grasset, 2011.
CINQUIÈME CHRONIQUE DU RÈGNE DE NICOLAS Ier, Grasset, 2012.
TOMBEAU DE NICOLAS Ier ET AVÈNEMENT DE FRANÇOIS IV, Grasset, 2013.
LE MAÎTRE, Grasset, 2015. (Prix Palatine, Prix Montblanc de la ville de Genève.)

(suite en fin de volume)

PATRICK RAMBAUD
de l'académie Goncourt

FRANÇOIS LE PETIT

Chronique d'un règne

BERNARD GRASSET
PARIS

Illustration de la bande : © photo RMN - Gérard Blot (tableau) et © Diarmid Courrèges AFP photo (photo).

ISBN 978-2-246-85673-3

« De tous les animaux du monde,
l'homme est le plus proche du singe. »

Georg Christoph LICHTENBERG

à Tieu Hong,

à M. Krishnamurti qui préférait
le parfum des eucalyptus à l'odeur
de notre monde en turbulence,

à MM. Cabu et Wolinski,
vieux complices.

HORS-D'ŒUVRE

Je raconte ici l'histoire d'un petit nombre d'hommes qui, poussés par les événements, ne se hissaient point à leur portée. Le monde avançait mais eux, animés par d'anciens réflexes, amidonnés, rétrécis dans leur système de pensée et leur langue morte, ils semblaient reculer tant ils s'échinaient à rester immobiles. Est-ce la chronique d'une tragi-comédie ? Est-ce un requiem qui chante en lamento le naufrage d'un monde politique professionnel ? Charles Ier de Gaulle fustigeait le régime des partis, qui fleurirent après lui. Avant de rejoindre le monde des esprits, François-le-Grand avait estimé que ses successeurs ne seraient au mieux que des comptables ; c'était vrai : le règne de Nicolas-le-Mauvais puis celui de François-le-Petit avaient tourné aux calculs, à la combine, aux querelles de coteries. Ces parvenus avaient ennuyé le peuple, ils l'avaient trompé, maintenant ils l'exaspéraient. La gabegie était mondiale, le verbe se désagrégeait, la vente des armes prospérait, alors le bon sens demanda en écho : le moyen de se débarrasser des nuisibles ? Le moyen de vivre ? Faudrait-il accomplir la prophétie du désopilant M. Babeuf : « Que tout rentre au chaos, disait-il, et que de ce chaos sorte un monde régénéré. » Brrr !

Chapitre Premier

Portrait de François IV en forme de poire. – Les malheurs pleuvent tout de suite. – La marquise de Pompatweet se venge. – Le fameux 3 %. – Naissance d'un dogme. – La peur du fisc. – M. de Jouyet apporte les croissants. – Nicolas-le-Mauvais essaie de se taire. – Ses affaires et ses amis. – La conjuration des Ego. – Une tricherie du duc de Meaux. – État misérable de l'opposition.

Ce qu'un monarque a de bon c'est sa bonhomie. Les gros rassurent ; on peut s'en moquer, croit-on, sans craindre le bâton. M. Charles Philipon, un ami de Balzac, dirigeait deux insolentes gazettes, *La Caricature* et *Le Charivari*. Lui-même dessinait. Un jour, il croqua le roi Louis-Philippe et le fit ressemblant, puis il recommença en pesant sur les traits dominants de son modèle, grossit les bajoues, allongea le front, exagéra les boucles des cheveux et du toupet. Au quatrième dessin le roi figurait en poire.

François IV avait la même famille de visage que Louis-Philippe ; il devait subir le même outrage. Dès qu'il vint sur le devant de la scène, en effet, il n'avait guère que sa réputation de poire.

Avant qu'il se figeât sous le nom de François IV, M. de la Corrèze était aisé avec son entourage ; rien en lui qui n'allât naturellement à plaire. Vous croisait-il, même si vous ne l'aviez jamais vu qu'en peinture, il s'approchait la main tendue et vous demandait tout de go : « Comment vas-tu ? » On eût dit que vous l'aviez quitté la semaine précédente. N'aimant personne en vrai, connu pour tel, on ne se pouvait défendre de le rechercher. Les gens qui avaient le plus lieu de le redouter, tant qu'il régentait le Parti social, il les enchaînait par des paroles. Il disait *oui* à tout le monde. Jamais la moindre humeur en aucun temps ; enjoué, gai, paraissant avec le sel le plus fin, invulnérable aux surprises et aux contretemps, libre dans les moments les plus inquiétants et les plus contraints, il avait passé sa vie dans des bagatelles qui charmaient l'auditoire. Il avait brillé en Énarchie, et sortit huitième de la promotion Croquignol où il noua des relations tenaces ; dans ce monde clos, très à l'abri des bruits du dehors, sa souplesse ne lui coûtait rien.

Lui qui lisait fort peu, surtout pas des romans, il se complaisait aux divertissements politiques. Il avait consulté naguère le profitable *Bréviaire des politiciens* que le cardinal de Mazarin rédigea en latin et publia à Cologne en 1684. Le titre l'avait alléché puisqu'il se proposait de l'instruire sur le seul métier qu'il sentait à sa mesure, et qui n'était point réellement un métier sinon l'application de diverses recettes et roueries pour parvenir. « Affecte un air modeste, candide, affable, lui soufflait le rusé cardinal. Feins une perpétuelle équanimité. Complimente, remercie, montre-toi disponible, même à l'égard de ceux qui n'ont rien fait pour le mériter. » M. de la Corrèze en fit son credo ; il se souvenait d'une autre recommandation : « Méfie-toi des hommes de petite taille : ils sont butés et arrogants. » Il y devinait le portrait de son prédécesseur, Nicolas Ier, et décida à son inverse de présenter une image *normale*.

Notre Frais Souverain s'appliquait à mettre en lumière sa simplicité, collant au plus près à ce qu'il imaginait le peuple, dont il avait eu une vision purement utilitaire quand il touchait les mains des fermiers de Corrèze. Il faisait penser à ces jeunes ministres du roi Mitterrand qui, à leurs débuts, entendaient monter à côté du chauffeur dans leurs voitures de fonction, pour ne pas jouer les notables, mais cette familiarité vexait les serviteurs : « Asseyez-vous derrière, Monsieur le ministre.

À chacun son rôle. » François IV avait effacé cette anecdote et espérait mener une vie ordinaire. Dans les pays nordiques, ne voyait-on pas des gouvernants prendre l'autobus ? Entre son élection et le couronnement officiel, il demeura dans l'appartement qu'il louait avec sa concubine, Mme de T., et se plaisait à faire ses courses aux environs de la rue Balard comme n'importe quel pékin. Il achetait des plats préparés chez l'épicier, des roses blanches chez la fleuriste, riait aux blagues pesantes du boucher en faisant la queue *comme tout le monde*. « C'est rare, les gens qui prennent pas la grosse tête », confiait Maryvonne, la boulangère qui lui vendait sa baguette aux céréales pas trop cuite. Le surlendemain de sa victoire suprême, mine de rien, il s'en alla dîner avec Mme de T. à *La Cantine* où il commanda le menu à dix-neuf euros cinquante : courgette mimosa, tournedos saignant et soupe de fraises. Cette existence idéale de rond-de-cuir, hélas, ne put durer quand il fut intronisé et dut occuper le Château : dès qu'il grimpa les degrés du perron, et que Nicolas Ier lui tendit sa couronne, les malheurs vinrent à sa rencontre.

Notre Majesté Toute Neuve remonta les Champs-Élysées, debout dans une Citroën DS5 grise et hybride. Le toit était découvert et l'averse cueillit le cortège sitôt franchie la grille du Coq. Le

Récent Monarque resta quand même debout dans son auto, sans parapluie disgracieux, sans imperméable vulgaire, trempé jusqu'à la moelle et le veston collé au dos. Derrière des lunettes mouillées, un myope ne voit rien au-delà de trois centimètres mais François IV, ruisselant, cheveux plaqués au crâne mieux qu'avec de la gomina, souriait comme un aveugle et saluait de la main une foule clairsemée par le gros temps. Le soir même, l'aéronef qui devait l'emmener en Germanie fut frappé par la foudre et rebroussa chemin. On y devina un mauvais présage des cieux : un règne qui débutait sous d'aussi fâcheux auspices n'augurait rien de formidable, mais le premier coup de poignard lui fut porté par sa compagne.

Cette Mme de T. souffrait du syndrome d'Othello ; chargée de dopamine, elle lâchait la bride à sa jalousie compulsive, or elle était affreusement contrariée par l'archiduchesse des Charentes, Ségolène, qu'elle avait cependant cocufiée pendant des années lorsqu'elle partageait les galipettes du Prince. À l'élection législative qui devait asseoir la majorité de son amant, elle explosa. Désireuse d'emporter La Rochelle, pour entrer au Parlement qu'on lui avait promis de présider, l'archiduchesse s'était heurtée à la dissidence d'un autre candidat du Parti social, le chevalier de Falorni, long gaillard aux yeux lavande avec un tapis-brosse de cheveux gris.

Mme de T. supporta le chevalier contre sa rivale.

En apprenant par les gazettes que François IV appuyait son ancienne concubine, elle se mit à trépigner et, se sentant trompée, elle réagit. Ce fut par un message électronique, rapide comme la lumière et qui devint public. Ce type de courrier mince ne devait pas excéder cent quarante signes et se nommait *tweet*, ce qui signifiait en anglais un gazouillis, un babil, une façon de jaser, et permettait d'entrer en contact instantané avec des milliers d'abonnés. Le tweet était le moyen de communiquer le moins discret et mettait au courant le monde de vos déceptions, de vos fredaines, de vos recettes de cuisine, de vos pensées courtes et souvent infantiles. La Première Compagne était une frénétique des tweets, sans cesse le pouce levé pour taper un message sur le clavier de son téléphone portable. Ce fut pourquoi on la surnomma la marquise de Pompatweet.

Celui qu'elle envoya à M. de Falorni pour le soutenir fut dévastateur. Elle semblait se désolidariser de son compagnon régnant. Dans un entretien donné à une gazette féminine populaire, la marquise avait prévenu : « François me fait totalement confiance, sauf sur les tweets. J'ai du caractère, que voulez-vous, on ne peut pas me brider. » François IV en était accablé mais ne le montra point. Il avoua néanmoins qu'après un mois de règne son état de grâce s'achevait. Jusqu'à présent 63 % des Français l'approuvaient mais ce tweet avait ébréché son image de monarque, ainsi que l'avait naguère expliqué un grand historien de Rome, M. Guglielmo Ferrero, en évoquant l'empereur Claude qui passait à Messaline tous ses caprices : « Un empereur, mari faible, était un scandale parce que le bon sens populaire ne pouvait admettre qu'un homme, incapable de commander à sa femme, pût gouverner un empire. »

La marquise de Pompatweet n'en était pas à sa première réaction nerveuse. L'entourage du Prince s'en méfiait mais comment l'empêcher de nuire ? Elle avait déjà réussi à éloigner l'archiduchesse des Charentes de la cérémonie de passation du pouvoir, pour défiler seule comme une reine devant le régiment des sommités venues prêter allégeance au Nouveau Souverain. Elle était si possessive qu'elle ne s'embarrassait point de considérations politiques ; en pleine campagne électorale, à Calvi, elle avait réussi à soustraire M. de la Corrèze, alors simple candidat, pour l'emmener déjeuner *Chez Théo*, en tête à tête au bord de la mer. Les accompagnateurs du Parti social, en émoi, établirent un barrage autour du restaurant. Si une photographie volée montrait leur héros en train de boire du rosé au soleil, ce serait une catastrophe : le pays ne pensait qu'aux militaires abattus par un terroriste.

La marquise de Pompatweet voulait être indépendante. Elle n'avait pas bien compris son nouveau rôle. Elle n'était même pas mariée à François IV et posait d'emblée des problèmes au protocole. Dans le *Guangming Ribao* les Chinois s'étonnaient de ce concubinage : « Si François IV veut l'emmener dans des royaumes musulmans, pourtant, il faudra bien qu'il l'épouse... »

François IV n'avait jamais été marié. Il ne souhaitait pas se lier, avec personne ni avec rien. Cette absence de choix le constituait ; on allait voir très vite ce qu'il en coûtait de demeurer un farfadet. La marquise de Pompatweet en souffrait pour son image et sa sécurité. Qui était-elle ? Elle ne le savait plus. Elle avait un bureau au Château, qui ouvrait sur le jardin, mais pour y faire quoi ? Et les trois secrétaires qui ouvraient son courrier ? On ne lui écrivait que des fadaises. Elle refusait qu'on la réduisît à inspecter les casseroles en cuisine, à choisir la couleur des nappes ou à disposer des bouquets dans les vases du Mobilier national. Allait-elle devoir embrasser des enfants malingres et peut-être contagieux pendant ces déplacements où elle devait accompagner le Prince ? Non. « Il faudra s'habituer à moi ! » disait-elle d'un air à la fois farouche et volontaire, bien dressée sur ses escarpins. Elle ne s'imaginait pas comme sa mère, à Angers, qui tenait la caisse de la patinoire pour entretenir son mari invalide et ses six enfants. Alors elle continua à donner des articles à la gazette grand public où elle travaillait jusque-là, même si chacun, à demi-mot, l'en dissuadait. « Avec quoi je vais payer mon loyer, si je me tourne les pouces ? » demandait-elle à ses proches très embêtés. Elle tenait désormais une chronique littéraire trois fois par mois, moins embarrassante avec sa fonction officielle, mais elle choisissait des livres à double sens, afin d'exposer ses propres problèmes, comme *Eleanor Roosevelt la rebelle*. Du coup, un hebdomadaire titra sur elle : « Une rebelle au Château ». Le peuple, si on lui demandait : « Peut-on être gazetière quand on est conjoint d'un monarque ? », répondait non à une très large majorité. La marquise étudia les cas semblables au sien, trouva qu'en Islande M. Halldórsson, lui-même gazetier, était devenu homme au foyer lorsque sa compagne se présenta à la plus haute magistrature de son pays ; que M. Sauer, physicien réputé, se réjouissait dans l'ombre d'être le fantôme de Frau Merkel ; que Mme Obama n'était plus juriste mais cultivait un potager à la Maison-Blanche. N'empêche : la marquise de Pompatweet enrageait et François IV ne l'aidait point, par mollesse disaient les uns, pour ne pas affronter ses colères disaient les autres. La marquise avait perdu sa liberté mais y gagnait une notoriété. Elle voulait les deux.

Après l'incident du tweet qui mit à mal l'autorité de Notre Roublarde Majesté, la normalité tenta de reprendre son cours. On jasait, bien entendu, mais sans méchanceté ; on plaignait même ce malheureux qui, quoique couronné, était aux prises avec une mégère.

— Ce M. de la Corrèze, tout de même, c'est vraiment une poire…

— Vous voulez parler de François IV ?

— Ah oui, mais je n'arrive pas à m'y faire. Il a des problèmes si ordinaires, quand il devrait travailler à résoudre nos soucis. Il avait promis de dompter la mafia des affaires et ses profits, où en sommes-nous ?

— Il vient d'arriver !

— Bon, laissons-lui encore un peu de temps, mais pas trop…

Notre Sublime François le Quatrième prenait son temps. Il n'imposa par la force ni par la surprise aucune loi importante, comme il eût pu le faire aisément, mais il avait compris que la communication supplantait l'information, aussi préféra-t-il d'abord peaufiner son image bonasse en côtoyant la population, montrant à la fois une nonchalance et un goût certain de la proximité qui lui avait tant réussi pour être élu. Il se pencha avec sérieux sur sa photo officielle qui serait affichée dans trente-six mille mairies. Bien entendu il refusa le guindé et opta pour le familier, ne voulant point plastronner dans la bibliothèque du Château devant ces rangées d'auteurs qu'il n'avait jamais lus ; il préféra le gazon du parc, le plein air et le plein soleil ; au lieu de poser il fit semblant de marcher comme s'il allait à votre rencontre pour vous saluer. On dut retoucher le drapeau tricolore, dans le fond, qui pendouillait à une fenêtre comme un caleçon délavé. Ce même parc fut ouvert au public le quatrième dimanche de chaque mois, et on put y pique-niquer ; le Monarque en profita pour improviser des bains de foule, et les secrétaires du Château eurent droit aux toilettes de l'étage sans l'autorisation des huissiers.

Quand Notre Abordable Souverain s'accorda deux semaines de vacances, il partit en train à Bormes-les-Mimosas, les mains dans les poches, sans bagages visibles, et il sourit aux autres voyageurs pour leur indiquer qu'il n'avait point besoin de gardes du corps ; ceux-ci le suivaient à distance avec des valises à roulettes. François le Débonnaire s'enferma au fort de Brégançon, austère presqu'île que Charles Ier de Gaulle attribua aux princes de la Ve dynastie qui le suivraient, quoiqu'il n'y passât qu'une seule nuit à combattre des brigades de moustiques. La marquise de Pompatweet, moins réjouie que son amant, avait fait prévenir les gazettes de ne point publier des photos d'elle en maillot de bain sous peine de poursuites, comme si elle n'était pas devenue un personnage. Le couple Tout-Puissant profita de la plage, malgré de brèves escapades obligatoires ; ainsi à Pierrefeu-du-Var où François IV salua la mémoire de deux gendarmettes tuées en juin lors d'une intervention, mais il ne se rendit pas au chevet des deux policiers gravement assommés à coups de bouteilles de champagne par des voleurs de voiture, près d'Aix-en-Provence.

On entendit murmurer, çà et là, des fâcheux qui ne voulaient point être gouvernés par Monsieur-Tout-le-monde, qu'ils voyaient au loin en short large et le bedon triomphant demander aux baigneurs si l'eau était bonne. Qu'importe ! François IV se réconfortait auprès du peuple pour mesurer une popularité encore intacte. Afin d'entendre la rue, Bonaparte s'habillait en bourgeois et sortait incognito au bras de son fidèle Junot ; avisant une lingère sur le seuil de sa boutique, il s'amusa à dire du mal de lui-même, et la lingère, ne le reconnaissant pas, l'insulta ; c'est de cette façon que les princes mesurent la confiance de leurs sujets les plus humbles. Notre Monarque Ébloui restait persuadé que le style normal était une trouvaille, le contrepoint souhaité des cinq années d'hystérie qui l'avaient précédé. Son calcul n'allait guère plus avant. Aussi piètre stratège que Nicolas-le-Mauvais, le Souverain ne portait qu'une tactique à courte vision, à l'inverse de Jules II qui joua le gâtisme pour que les cardinaux pussent élire un pape malléable mais, sous la tiare pontificale, il se réveilla et mourut centenaire après avoir mené de rudes guerres. François IV n'était point de cette trempe. Allait-il se réveiller ? Savait-il seulement que régenter un pays devenait de plus en plus périlleux ? Le peuple donnait son avis sur tout, de préférence sur des sujets qu'il ignorait. Il fallait désormais compter sur les humeurs de chacun, ses émotions, ses vues limitées, chauvines, égoïstes. Voulez-vous qu'on réduise la vitesse sur les autostrades ? « Ah non ! » répondaient les interrogés en ne songeant qu'à eux. Voulez-vous contraindre les maires à construire des logements sociaux ? « Ah non ! » criaient-ils en majorité car ils redoutaient des Romanichels près de chez eux. L'électronique, si utile pour retenir une chambre d'hôtel aux Maldives, fourmillait de commentaires envahissants et de lettres anonymes. Il était devenu impossible de gouverner entre soi comme auparavant. Englués dans le passé, les élus refourguaient leurs anciens discours à peine toilettés. Le métier se perdait, comme celui d'hôtesse de l'air, naguère prestigieux, qui ne consistait plus qu'à poser devant vous un infect plateau-repas ou à distribuer des sacs pour vomir le contenu dudit plateau-repas. François IV n'en avait pas conscience.

S'il avait eu deux sous d'énergie quand les Messieurs de la Cour des Comptes vinrent lui présenter en chœur l'état calamiteux du Trésor, avec le trou de six cents millions et les quatre cent mille emplois industriels évanouis sous le règne de Nicolas-le-Prodigue, il eût dû réagir avec véhémence mais il tergiversa. Les dettes du pays lui semblaient insurmontables ; il se rassurait en disant curieusement que les Français n'avaient pas perçu la crise. Ses Inspecteurs de la Finance essayaient de l'aider à bouger :

— Votre Sagace Majesté, disaient-ils, il est urgent d'économiser. Le temps presse.

— Mais nous n'avons pas un sou !

— Vous aviez promis de résorber le déficit public…

— Au terme de mon règne, oui, et là, le temps ne nous bouscule pas. Et puis j'avais sous-estimé le gouffre de notre finance. Vous voulez que j'augmente les impôts comme Nicolas-Poches-Percées ?

— Surtout pas, Insurpassable Prince ! Notre économie ne le supporterait pas !

— Alors ? Faire passer les trente-cinq heures hebdomadaires à quarante-huit heures ? Quarante-huit heures, au fait, ça ne fait guère que deux jours pleins par semaine, ce n'est pas si énorme.

— Pour contrer le chômage, ô Grand Malin, il vaudrait mieux faciliter les licenciements…

— Pourquoi ?

— Pour être efficace, Sire.

— Mettre des ouvriers à la porte, c'est efficace ?

— Bougrement, Votre Enthousiasmante Majesté ! Les gens sont trop payés, songez au coût du travail !

— Je croyais que le travail rapportait et ne coûtait point…

— Un leurre, Méthodique Seigneur ! Vous devez faciliter les licenciements.

— Les ouvriers n'ont pas voté pour moi ?

— Voyez de plus haut et plus loin !

— Licenciés, ils vont se retrouver au chômage…

— Sans doute, Puissant Souverain, et là encore il vous faudra ne pas être trop généreux. Réduisez la durée de leurs indemnités, vous pourriez grappiller quelques milliards…

— Tant que ça ? C'est bien séduisant mais assez peu social.

— Nous n'en sommes plus à des considérations électorales, Votre Stupéfiante Majesté. Laissez vos promesses et économisez !

— Où cela ?

— Partout où vous le pouvez, Maître Notoire. Prenez les retraités. Ne sont-ils pas trop jeunes ? Quelle perspective ont-ils ? Vingt ans de fainéantise au soleil ? Économisez sur leurs pensions. Et s'ils travaillaient jusqu'à quatre-vingts ans ? Ils arriveraient fourbus à la porte du cimetière et nous aurions moins à leur verser.

— Je n'y avais pas songé. Judicieux, en effet.

— Regardez les royaumes européens, Votre Étincelante Majesté, voyez comment ils prêchent l'austérité pour engraisser leurs Trésors. Voyez les salaires misérables qui ont cours jusqu'en Germanie…

— Austérité, le mot effraie.

— Trouvez-en un autre, Sire.

— Effort juste, ce serait mieux, et plus facile à avaler.

— Soit, prônez l'effort juste mais très vite. Voyez nos entreprises qui défaillent. La croissance s'est arrêtée, Immense Souverain !

— Eh bien elle va repartir, je vous le dis. Nous allons sortir de la crise parce que les crises obéissent toujours à des cycles.

— Si vous le croyez...

— Je le sais. Je l'ai appris à la promotion Croquignol. Au bout de trois ans, l'activité repart. Elle va donc repartir l'an prochain, et la courbe du chômage va s'inverser ; ça, je peux le promettre en public !

— Votre Optimiste Leader a peut-être raison...

François IV croyait en sa bonne étoile, c'était un fait, et il s'en persuadait contre la réalité. La nuit, toutefois, il se tournait et retournait sous le baldaquin, torturé par ce déficit public qu'il fallait baisser jusqu'aux 3 % exigés par les royaumes européens. Quelle sotte contrainte, pensait-il, quel dogme fatal ! Et tous les Premiers de chaque gouvernement se fixaient cet objectif funeste, comme le comte Fabius, déjà, ou le marquis de Balladur qui proclamait lorsqu'il dirigeait nos finances : « Maîtriser les déficits publics ! Notre dérive dangereuse doit être impérativement stoppée. » M. Fillon, duc de Sablé, avait plus tard renchéri, puis M. Ayrault, duc de Nantes, récemment nommé, lequel était aussi charismatique qu'un bulot et distillait l'ennui avec sa personnalité de proviseur, lui aussi avait prononcé la phrase définitive et redoutable pour plomber son auditoire: «Il ne pourra y avoir de redressement du pays sans le redressement de nos comptes publics.» Cette obligation rongeait François IV.

C'était en 1981, un soir du mois de mai. Le roi Mitterrand venait à peine de s'installer sur le trône. Aux chiffres il préférait les lettres, et savait se ménager des moments précieux où, tombé dans un fauteuil, il feuilletait en souriant le journal de M. Jules Renard qu'il appréciait tellement. Il lisait: «Il y a des moments où tout réussit. Il ne faut pas s'effrayer: ça passe.» Ou: «Les gens sont étonnants; ils veulent qu'on s'intéresse à eux.» Il avait toutefois choisi le pouvoir et devait l'exercer, c'est-à-dire se pencher gravement sur l'économie brinquebalante du royaume. Des savants tentaient de le séduire avec leurs équations auxquelles il ne comprenait rien. Il les écoutait mais son esprit vagabondait. Lorsqu'il convenait tout de même de décider, il se reportait sur les spécialistes, ainsi convoqua-t-il son directeur du Budget et lui tint-il ce propos: «Cher monsieur Bilger, fournissez-moi une règle facile, et qui sonne économiste, et ne soit point d'une tournure trop fantaisiste, que je puisse opposer aux ministres qui défilent dans ce bureau pour me réclamer des sous et encore des sous !

— Pour quand, Votre Grandeur ?

— Pour demain matin.

Revenu au palais du Louvre qui hébergeait alors ses services, M. Bilger convoqua ses sous-directeurs spécialisés dans les graphiques et les statistiques ; il leur répéta les mots du Souverain et son désir de vélocité : « Trouvez-moi une formule qui ait un air sérieux. » L'un d'eux, le jeune M. Abeille, se tritura la cervelle avec méthode. « Qu'est-ce qui serait le plus simple ? se demanda-t-il. Comme tout le monde se réfère au produit intérieur brut, le PIB, travaillons là-dessus. » Puisque les ordinateurs n'existaient pas, il prit une feuille et un crayon, consulta les chiffres du déficit, près de cent milliards de francs, calcula le pourcentage avec force règles de trois, obtint plus de 2 %. Que décider ? Il en fit part à ses compères :

— Pour contenir le déficit, fixons un pourcentage que le roi Mitterrand pourrait opposer à ses ministres quémandeurs...

— Pourquoi pas 1 % ? risqua un autre.

— Trop faible. Nous avons déjà dépassé ce seuil.

— Oui, inatteignable, dit un troisième.

— Et 3 % ? risqua M. Abeille.

— Très bien, 3 %, le chiffre trois est un symbole à lui tout seul.

— C'est le nombre des Rois mages guidés par une étoile.

Le trois était un chiffre mythologique, celui de la Sainte Trinité, le nombre parfait des Chinois, la triple manifestation divine des Indiens. Il y avait de la magie là-dedans et on le proposa donc. Adopté à main levée par les hauts fonctionnaires présents, sans plus réfléchir aux conséquences, on livra la formule dès le lendemain au roi Mitterrand, lequel fut enchanté ; il tenait le moyen savant de contenir les ardeurs dépensières de ses ministres : « Le déficit public ne doit pas dépasser les 3 % de la richesse nationale. » Le ministre de l'Économie avalisa cet interdit bien commode, parce qu'un pourcentage faisait moins peur que des chiffres remplis de zéros. Cette formule provisoire suivit son chemin, ce à quoi n'avait jamais songé son inventeur, M. Abeille. Elle chemina jusqu'aux traités européens où elle devint une norme intangible et quasiment sacrée avec quoi devait aujourd'hui batailler François IV en géomètre averti autant que contrit.

Notre Monarque Inspiré avait un défaut qu'on lui découvrit. Lui si habile lorsqu'il discourait dans des meetings internes à son parti, s'avéra lamentable quand il fallut s'adresser au peuple en entier. Il ne savait point parler aux gens de leurs problèmes, qu'en fonctionnaire il n'avait jamais sentis. Le chômage, pour lui, ce n'était pas une famille endettée, qui s'épuisait en petits travaux pour payer le gaz qui cuirait les haricots en boîte, non, mais une courbe qui ondoyait, montait ou descendait au gré des gains ou des pertes, qui dégringolait surtout en un bel arrondi, et François IV ne considérait que cet effondrement mathématique, oublieux de sa traduction dans la vie quotidienne de millions de gens. Ces millions de gens finirent par ne plus rien espérer de lui, et quand il prit la parole pour la première fois sur les fenestrons, il évoqua les contraintes budgétaires et annonça des hausses d'impôt, l'exact contraire de ce que beaucoup attendaient.

Les gazettes, qui outraient les nouvelles du jour pour se nourrir, étaient si friandes des catastrophes qu'elles titrèrent sans se renseigner davantage : « De très nombreux contribuables fuient le fisc français » ou « J'ai fui à Londres l'échec du pays » ou « Pourquoi ils quittent la France ? ». Et de citer pêle-mêle des héritiers, des industriels, des artistes, des sportifs. On croyait retourner en 1981, après le couronnement du roi Mitterrand, quand les nouvellistes expliquaient que les chars soviétiques allaient remonter les Champs-Élysées. Le Parti social faisait encore peur et qui possédait un lopin devait trembler. M. de Pardieu demeura longuement à la une de ces feuilles ; le grand comédien boulimique et fantasque, qui fabriquait son vin et avait l'embonpoint du vieil Orson Welles, pestait contre les 85 % de taxes qu'il subissait et chantait les joies de la Belgique, où il acquit une demeure en grosses pierres grises. Il fut approuvé par 68,3 % des lecteurs de gazettes, que ce taux élevé épouvantait. Le Parti impérial, fraîchement battu, joua son rôle d'opposant et chargea de sa propagande et de ses indignations le duc de Levallois, M. Balkany, malgré la batterie de casseroles fiscales nouées à sa ceinture en crocodile. De sa voix caverneuse et traînante, oublieux des six cents milliards dont ses amis avaient privé le Trésor, il se lâcha dans une belle envolée : « Qu'est-ce que c'est que ce pays où l'on pense qu'on ne peut vivre qu'en faisant payer les riches ? On n'est pas en Corée du Nord. Les frontières ne sont pas fermées en Europe, l'argent circule. Il ne s'agit pas de partir dans des paradis fiscaux, mais dans des pays qui ne gèrent pas les affaires de façon trotskiste. »

C'était oublier que sous le règne de Nicolas Ier un Français fortuné s'installait en Suisse chaque jour. Peugeot, Taittinger, Bich, Mulliez avaient mis leur fortune au frais. M. Bruneau, qui inventa le Cercle des Fiscalistes, reconnaissait qu'après les milliardaires, les millionnaires avaient suivi ce mouvement éperdu. Bref, il n'y eut point d'exode constaté sous François IV, tout au plus un grondement, des imprécations, mais ceux qui devaient fuir pour protéger leurs lingots l'avaient déjà fait. Le duc de Villeneuve, M. Cahuzac, que le Souverain Avisé avait posté aux Finances, adoucit même ce prélèvement de 75 % sur les plus riches, lequel était exceptionnel, et ne toucherait point les artistes ni les footballeurs qui avaient certes de gros revenus mais aléatoires et point éternels. Comme toutes les autres querelles, celle-ci ne sut durer. Et le duc de Levallois, qui déclarait une somme ridicule au fisc, put s'en retourner dans son palais de Marrakech ou dans sa villa somptueuse sur l'île de Saint-Martin.

François IV semblait imperméable au déluge de critiques. Il faisait siens les préceptes du cardinal de Mazarin ; au début de son livre court mais instructif, celui-ci préconisait : « Arrange-toi pour que ton visage n'exprime jamais aucun sentiment particulier, mais seulement une sorte de perpétuelle aménité. Et ne souris pas au premier venu sous prétexte que tu as reçu de lui une quelconque marque d'amitié. »

Notre Monarque n'avait que ce programme.

Raidi malgré tout par sa fonction et ses lourdeurs, il débitait ses propos à la manière d'un automate. Le peuple était déprimé, il ne lui inspirait aucune joie ; même son optimisme permanent sonnait de travers. Il s'efforçait pourtant, toujours à l'aide de son Mazarin de chevet qui lui soufflait à l'oreille : « Parle toujours avec un air de sincérité, fais croire que chaque phrase sortie de ta bouche te vient tout droit du cœur et que ton seul souci est le bien commun. » François IV avait du mal à vibrer pour transporter son auditoire, il ne savait pas jouer des émotions, il ne savait pas faire passer un *air de sincérité* ni faire croire qu'il avait un cœur pour mettre du liant dans ses discours. Chez lui, l'ironie remplaçait l'humour ; il avait le cœur sec depuis la disparition, à Rouen, de ses soldats de plomb et de sa collection d'autos Dinky Toys. Les proches connaissaient sa dureté et ses calculs.

Ses quarante conseillers eurent consigne de se taire au dehors du Château. Là, gravitaient des énarques dont ceux de la promotion Croquignol que choyait le Souverain, lequel se sentait mieux en confiance avec ses anciens condisciples, comme le rond préfet Lemas, à la crinière blanche et à la bouche cousue, qui savait mener la petite Cour du Château et, mais en sourdine, essayer de rendre plus lisibles les paroles du sommet, emmurées dans des graphiques et ces courbes auxquelles les gazetiers ne comprenaient pas grand-chose.

François IV était incapable de reconnaissance.

Il choisit ses ministres ainsi qu'il choisissait autrefois les membres du bureau politique au Parti social : en ménageant les courants et les susceptibilités pour naviguer en confort et réunir les extrêmes, formant des paires qui se complétaient ou se dévoraient. Il avait omis des fidèles pour nommer des adversaires, tempétueux comme le connétable de Montebourg ou chafouin comme le duc de Villeneuve, ce M. Cahuzac dont on lui avait vanté les compétences financières mais qu'il appréciait peu. Il ne jugeait ses subordonnés qu'en fonction de leur utilité, et même avant d'aller visiter le pape à Rome, il se demandait à quoi cette idole allait lui servir. Il assemblait ses partisans sur un large éventail qui s'ouvrait de la droite à la gauche, aussi désigna-t-il le colérique duc d'Évry, M. Valls, pour tenir la police car il était un maniaque de l'ordre et, enfant, se relevait la nuit pour vérifier si ses pantoufles étaient bien rangées, parallèles sur la carpette ; aussi plaça-t-il l'éloquente duchesse honoraire de Cayenne, Mme Taubira, au poste de Garde des Sceaux puisqu'elle réclamait depuis des lustres la justice pour tous. Le duc Valls et la duchesse

Taubira, se disait le Troublant Monarque, on verrait bien ce qu'allait donner cet attelage disparate. Une étincelle, peut-être ? Il reproduisait au Château ce mélange des genres. Le conseiller Macron et le conseiller Morelle s'y affrontaient, et François IV faisait mine d'écouter à la fois celui qui tenait l'économie de marché pour la règle du monde et celui qui n'y croyait pas ; l'un réaliste et l'autre lyrique ; l'un sorti de l'inspection des Finances et de la banque Rothschild, l'autre fils d'un ouvrier espagnol, affûteur chez Citroën. Les deux n'avaient qu'un point en commun : l'ENA.

Or il y avait dans cette basse-cour un énarque mieux énarque que les autres. Il était un ami sincère de Notre Courte Majesté, depuis trente-cinq années car ils s'étaient rencontrés dans la même chambrée de Coëtquidan puis dans la promotion Croquignol au sortir de laquelle François IV offrit sa place d'inspecteur des Finances à son camarade de promotion, lui préférant la Cour des Comptes où il aurait davantage le loisir de politicailler. Ce garçon privilégié se nommait M. de Jouyet, anxieux dans le fond mais aimable dans la forme. Tous les petits soins, toutes les recherches plaisantes coulaient de source chez lui et se multipliaient avec grâce et gentillesse. Tout à tous, avec une aisance surprenante, beaucoup d'éloquence mais qui sentait l'art, comme avec beaucoup de politesse dans ses manières : voilà sans doute un talent de cour auquel nous devons ajouter la proximité du Souverain.

M. de Jouyet était le type du haut serviteur un brin faisandé, cuit et recuit dans une technocratie bien mise. Il portait un visage fané sous des cheveux sombres, taillés de près, comme la touffe d'une perruque trop jeune pour lui. Étiez-vous à ses côtés, il vous attrapait par le gras du bras, vous malaxait l'épaule, vous palpait comme un aveugle, vous enveloppait. Lorsqu'il travaillait auprès du duc de Ré, M. de Jospin, il lui avait agrippé le biceps lors d'un déjeuner, et l'autre, avalant prestement sa bouchée de carottes râpées, rigide de par ses mœurs protestantes, lui avait dit ces mots cinglants : « Vous avez votre style, j'ai le mien ! Ou vous arrêtez de me toucher, et on continue à travailler ensemble, ou vous continuez et on arrête là. »

Ces tripotages ne furent point la cause d'une sévère brouille qui avait persisté un an, entre le Prince et M. de Jouyet. Elle advint quand ce dernier accepta le poste technique que lui offrit Nicolas Ier au début de son règne ; il s'agissait de l'aider à régenter les royaumes européens. M. de Jouyet n'y voyait aucune malice mais son ami y vit une trahison. Quand Notre Souverain, alors simple chef du Parti social, montait à la tribune de l'Assemblée pour démonter la politique en vigueur, il avait M. de Jouyet en face de lui, assis au banc des ministres. « Il a toujours été de droite, je le savais ! » grommelait l'orateur, et l'autre, benoîtement, dit plus tard : « Je n'avais pas mesuré à quel point cela avait pu le blesser. » Tout s'arrangea pendant un dîner, dès que M. de Jouyet quitta le gouvernement du duc de Sablé, M. Fillon.

Eh oui, sa famille était ancrée à droite. Son notaire de père était gaulliste et il assumait d'être à la fois bas-normand et basque espagnol. Il avait des passions feutrées, aimait la chanson française et fredonnait Jean Ferrat ou Édith Piaf. Il aimait aussi le football, avait épinglé une photographie de M. Platini dans son bureau et avait regardé avec Notre Majesté la demi-finale de l'Euro entre l'Allemagne et l'Italie. Ajoutons qu'il avait rêvé être écrivain mais se contentait des listes de chiffres et d'équations, puisque sa compétence était dans la finance.

Très catholique, M. de Jouyet portait sa médaille de baptême sous sa chemise et épousa en secondes noces la blonde Brigitte Taittinger, celle des champagnes, des palaces et des parfums, qui était richissime. Ils possédaient un appartement vaste, rue Raynouard, dans le XVIe arrondissement, le plus bigot et le mieux cravaté de la capitale ; ils y recevaient jusque tard dans la nuit des patrons importants et des politiques de tous les bords ; à chaque élection, pendant les dîners fins, une moitié au moins des convives se réjouissait tandis que l'autre moitié ravalait ses larmes en montrant néanmoins bonne figure. Chez ces gens-là, Monsieur, on avait des manières. Si les opinions étaient tranchées, on ne se divisait point à table ; les dissensions ne devaient pas parvenir aux maîtres d'hôtel. La dynamique Mme Taittinger avait auparavant épousé un comte membre de l'association de la noblesse française, et elle gardait des mœurs policées, gouvernant avec M. de Jouyet une tribu recomposée de dix enfants qu'ils devaient entraîner à la messe du dimanche, juste avant d'acheter les gâteaux chez un traiteur. Ce couple fréquentait les soupers du Siècle, attablés une fois de plus avec des gens d'affaires, des politiques bien habillés et des saltimbanques en vogue sur les fenestrons ; le moyen commode de se tenir au courant des orientations du royaume.

M. de Jouyet n'était pas encore le vrai maître en titre du Château, à cause de son penchant inavouable et éphémère pour Nicolas Ier, cet autre tactile, mais Notre Potentat lui offrit la Caisse des dépôts et consignations qui s'occupait des deux cent trente milliards du Livret A, des actionnaires des principales entreprises géantes, de l'épargne nationale et du financement des logements sociaux. Avec lui, le monde de l'argent s'imposa durablement dans les salons du Château ; quelques années plus tôt, Sa Majesté avait déclaré ne point aimer les riches mais il était aujourd'hui encerclé par leurs valets.

S'il avait d'abord mimé l'attitude du beau joueur, c'est-à-dire du bon perdant, Nicolas-Pisse-Vinaigre remâchait sa défaite à l'élection suprême. Ses amis comme lui minimisaient son piètre résultat et tentaient d'apaiser ces accès de fureur qu'il devait rentrer. «Ah ! disait-il, si j'avais pu prolonger ma campagne, je l'emportais ! » Ainsi se consolait l'ancien monarque en s'efforçant au silence, car il refusait de croire que le peuple en avait soupé de ses manières cassantes et ne voulait plus ni le voir ni l'entendre. Nicolas-le-Maudit devait se faire oublier pendant une ou deux années et laisser son entourage entretenir sa réputation, ou la réparer, alors, contre l'incurie de son successeur, qu'il devinait, il reviendrait pour triompher. Voilà son rêve.

Pour l'heure au cap Nègre, dans la villa de sa belle-mère, Nicolas-le-Réprouvé se laissait pousser une barbe de trois jours, savamment entretenue à la tondeuse, dont la comtesse Bruni s'émerveillait : « Ça lui donne un air aventurier. Il est bien plus beau que dans les fenestrons, quand il venait parler, engoncé dans son petit costume gris. » Chaque matin, le reclus pédalait comme un hamster sur la route serpentine du massif des Maures, mais point en noble solitaire, escorté qu'il était par des gardes du corps à vélo et en auto. Il s'arrêtait souvent pour souffler, signait des autographes aux passants et prenait la pose devant les appareils des touristes, ou bien il avalait des beignets de courgette à l'hôtel des Mimosas. Bref, il ne s'agitait plus et s'ennuyait fort.

Un mardi, après avoir discuté au téléphone avec l'un des principaux adversaires d'Assad-aux-mains-rouges, M. Abdelbasset Sayda, Nicolas-le-Démoli s'enflamma pour les rebelles syriens qui bataillaient dans les rues d'Alep contre l'armée sauvage du régime. Il n'y tint plus, il devint rouge du sang qui lui montait aux tempes, sa cervelle était en ébullition et il pondit un communiqué pour poignarder son successeur qu'il trouvait mollasson. Lui, en son temps, il avait envoyé des avions en Libye, soit, mais sa comparaison ne tenait guère, parce que la Libye du dictateur bédouin était isolée et que la Syrie avait des alliés russes, iraniens et même chinois qui refuseraient toute intervention internationale, et qu'il fallait éviter de trop chatouiller, tant les tyrannies se soutiennent entre elles et rejettent ce type d'intrusion. Balayant tout cela, Nicolas-le-Névrosé réclamait qu'on intervînt. Aussitôt on vit surgir ses capitaines d'autrefois à la tête de leurs maigres bataillons du Parti impérial.

M. Bernard-Henry, vicomte de Saint-Germain, entonna son couplet émotif, lui qui avait poussé Nicolas-l'Ulcéré à cette guerre qui fit exploser la Libye en tribus rivales et dangereuses ; il affirma que l'initiative de Nicolas-l'Excessif avait été courageuse et bienvenue, renforçant la comparaison outrée entre deux pays et deux situations qui n'avaient rien en commun, à part les massacres. M. Fillon, duc de Sablé, proposa à François IV d'aller convaincre le tsar Vladimir, et M. Copé, duc de Meaux, invitait Notre Prudent Souverain à interrompre ses vacances. La polémique s'enlisa comme toutes les polémiques.

Au lendemain de cette poussée de fièvre, Nicolas-l'Assoiffé retourna à ses affaires, le menton désormais sali d'une barbe courte, celle-là même qu'il décriait il y avait peu en traitant les gazetiers qui la portaient de gauchistes et de j'men-foutistes soixante-huitards, mais la barbe négligée signait son abandon du pouvoir où les joues lisses étaient de mise aux embrassades entre souverains régnants. On l'aperçut en public une première fois, dès son retour d'un palais marocain, lors d'une projection privée d'un film du vicomte de Saint-Germain consacré au vicomte de Saint-Germain et accessoirement à l'immense victoire des aéronefs venus sauver la Libye avec des bombes, avant de la plonger dans l'infernal chaos de milices rivales.

Puis Nicolas-le-Piaffant disparut dans une solitude relative et agréablement rétribuée. Lui qui jusque-là n'avait cherché que le pouvoir avait découvert sur le trône les facilités de l'argent et ne s'en cachait point. La comtesse Bruni son épouse avait obtenu de Barclay une avance de plus d'un million d'euros pour ses chansonnettes, et la firme Bulgari, dont elle devint l'égérie, lui avait proposé un contrat de deux millions et demi pour des réclames. Le Prince-Sorti ne pouvait en rester là. Aux six mille misérables euros mensuels de son traitement d'ancien monarque, s'ajoutaient bien sûr les onze mille cinq cents que lui attribuait le Conseil constitutionnel où il devait siéger de droit, même en bâillant devant un travail aussi rébarbatif. Il bénéficiait également d'une voiture et de deux chauffeurs muets, de deux gardes du corps et de sept mercenaires afin de le seconder dans ses bureaux parisiens, onze pièces au 77 rue de Miromesnil, que payait l'État et que garnissait le Mobilier national : il put reproduire à l'identique le bureau des Portraits du Château et y recevait du grand monde. Rien de politique, disait-il, maintenant il faisait des affaires. D'après le *Financial Times*, l'émir du Qatar se montrait prêt à investir deux cent cinquante millions d'euros dans un fonds d'investissement londonien que Nicolas-le-Filou dirigerait et qui devait lui rapporter trois millions par an. L'aventure s'arrêtera quand l'un des associés sera tracassé par la justice. On nageait d'emblée dans l'argent.

La comtesse Bruni et le monarque déchu allèrent à Moscou remettre un prix aux meilleurs investisseurs de la toundra, une séance organisée par Alfa-Bank, laquelle était détenue par le milliardaire Mikhail Fridman. Dès le mois d'octobre il débarqua d'un vol privé pour se rendre discrètement au Waldorf Astoria de New York où il donna une conférence de moins d'une heure à dix mille dollars ; il décrypta la crise en termes scolaires devant des banquiers brésiliens munis d'oreillettes puisqu'il parlait peu l'anglais. Des vigiles, sur le trottoir, contenaient les gazetiers trop curieux.

Nicolas-le-Rusé s'accoutuma fort vite à cette pratique anglo-saxonne des conférences chics et chères qu'inaugura en son temps le pasteur

Kissinger et fit des émules chez les chefs d'État retraités. On lui en proposa soixante-dix dès le début, parmi lesquelles il n'avait qu'à choisir. D'autres affaires le menaçaient, judiciaires celles-là, mais il flottait dans la béatitude et le faisait savoir : « Quand je traverse la rue, disait-il, je crée des embouteillages ! » Allant rejoindre la comtesse Bruni dans un restaurant il constatait, réjoui : « Les gens se sont levés pour m'applaudir ! » À l'abri d'une réputation qu'il croyait enfler, quoique ses sorties impromptues se limitassent au quartier d'Auteuil où il avait des partisans en réserve, il guettait les faux pas de François IV.

Nicolas-l'Usurier devait s'envoler pour Singapour et y prononcer un discours bref sur l'économie quand la lettre d'un juge bordelais le ramena à la réalité. Il s'agissait du financement excessif de ses exploits passés. Avait-il profité malicieusement des largesses d'une milliardaire âgée ? Avait-il abusé de sa santé bancale pour lui extorquer une fortune ? Les ennuis continuaient : son avocat et ses fidèles, réunis en secte à sa dévotion, suffiraient à le défendre. Sous la tutelle guerrière de M. d'Hortefouille ils chantaient ses louanges en toutes occasions. Or il y avait un duel au sommet du Parti impérial qui devait renouveler ses instances et se choisir un chef en l'absence de Nicolas-le-Vaincu. Tout se brouillait. Les ducs de Meaux et de Sablé sortaient leurs dagues pour cette première place. Alors le Parti s'émietta.

M. Copé, duc de Meaux, n'avait pas une once d'humour. À huit ans il punaisait dans sa chambre l'effigie du roi Pompidou au sourire de requin, mais ce n'était pas pour plaisanter. Son père Roland, un chirurgien du fessier, cambré comme un danseur de tango, était attiré par le théâtre mais son fils non ; quand il se maria une première fois, s'il déclama devant les invités, ce fut pour affirmer sans le moindre sourire : « Vous assistez au mariage du futur souverain de ce pays ! » Né dans les beaux quartiers de Paris, le jeune duc avait fait dix ans pénitence dans des banlieues pénibles avant de s'emparer du duché de Meaux, et il se jurait de parvenir au but sublime de ses ambitions : le Château, avec son or et ses loufiats. Il lui fallait donc guerroyer contre qui le contrait ; parmi les obstacles, M. Fillon, duc de Sablé ; sur ce chemin garni de ronces, tous les coups devenaient possibles, et les pires félonies.

M. le duc de Meaux aimait l'argent et ne s'en cachait point. Lorsque pour Nicolas-le-Futile le pouvoir tant souhaité amenait l'argent, pour lui c'était l'argent qui conduisait au pouvoir et à son train de vie hors la norme. Moins crispé sur les mœurs que le catholissime duc de Sablé, son rival détesté, il criblait de ses flèches, par opportunisme, un gouvernement qui n'hésitait pas, selon lui, à saper les fondements de la famille, dont en vérité il n'avait que faire. Il se conformait aux vœux de ses électeurs les plus cul-bénits, prêt avec cynisme à tous les accommodements. Il s'imaginait en chef d'entreprise et savait investir là où ça lui rapportait le mieux.

Quant au sévère duc de Sablé, après avoir été pendant cinq ans le Premier souffrant de Nicolas-le-Fripon, il se libérait enfin de cette infâme contrainte. Il s'accordait le droit de s'exprimer autrement qu'en perroquet. Faire carrière ? Non, pas lui qui se réclamait sans cesse de l'intérêt national pour maquiller noblement ses visées. Il entrevoyait néanmoins le Château au bout de son parcours. La bataille commença pour la prise de cette grosse machine qu'était devenu le Parti impérial, avec ses troupes, ses outrances, ses postures et ses ruses.

Chacun des adversaires guettait les bévues de l'autre pour mieux les exploiter. Le duc de Meaux repensait à cette panoplie de Napoléon que lui avait offerte jadis une mère en extase, et il jouait volontiers les dédaigneux, mais afin de ramasser des suffrages il n'hésitait jamais à flatter le racisme primitif des siens ; négligeant pour cela que sa seconde épouse venait de musulmanie, il ridiculisa les comportements religieux alimentaires de notre population arabe. D'abord soucieux de se faire remarquer du grand nombre, M. de Meaux inventa une anecdote capable de plaire en divisant. C'était l'histoire d'un blanc-bec qui se faisait arracher son pain au chocolat dans la cour de récréation, sous prétexte qu'on ne mangeait pas au moment du ramadan, un jeûne traditionnel qui n'était point dans nos traditions. Le Conseil des Musulmans porta plainte et l'affaire s'ébruita, contribuant à la renommée intransigeante du duc de Meaux, lequel adopta un profil de persécuté.

Pendant ce temps, M. de Sablé enrageait mais il préférait la ruse pour endormir son concurrent. Il prit un air ennuyé, il se lamenta devant des gazetiers bavards : aurait-il les presque huit mille signatures de ses pairs pour se présenter ? La présidence du Parti impérial, il y tenait, c'étaient des troupes et une influence accrue. Le jour où les deux prétendants durent remettre leurs parrainages, le duc de Meaux en annonça fièrement trente mille, pensant écraser le malheureux duc de Sablé, mais pas du tout, celui-ci fit amener des cartons bourrés de parrainages, plus de quarante-cinq mille.

M. de Meaux en resta sonné. « Qu'importe ! le réconfortèrent ses partisans. M. de Sablé est un homme seul ! » Surtout, après son accident annuel de scooter, à Capri, il boitillait en regardant M. de Meaux multiplier ses déplacements en province : les gazettes ne retenaient que l'absence de M. de Sablé, alors il participa à des réunions malgré sa cheville handicapée, mais il se posait sur un coin de table pour pérorer, ce qui lui donnait un air décontracté qu'on ne lui savait pas, lequel plaisait aux auditoires. Chacun se déclarait plus à droite que l'autre, car les deux savaient que 64 % de leurs militants espéraient le retour de Nicolas-le-Faussaire, qui laissait dire et jubilait, espérant que ces deux marioles obtiendraient un score serré au point que ni l'un ni l'autre ne se détacherait vraiment pour menacer sa légitimité.

Au soir du vote, le duc de Meaux se précipita sur les fenestrons et se déclara vainqueur avec mille voix d'avance ; le duc de Sablé le suivit de peu sur les mêmes fenestrons pour revendiquer sa victoire avec deux cent vingt-quatre bulletins de plus. La Commission qui contrôlait les votes se nommait la Cocoe, un nom digne des opérettes de M. Offenbach, eh bien cette Cocoe passa la nuit en séance à grignoter de la pizza et des bananes ; elle trancha à l'aube, les yeux encapotés de sommeil, et couronna le duc de Meaux qui l'emportait avec 50,03 % des voix. Plus tard, on s'aperçut que la Nouvelle-Calédonie et Mayotte avaient été oubliées. Le duc de Sablé cria à la fraude et menaça de faire sécession puisqu'on lui avait volé son poste.

Nicolas-le-Roué commençait à s'agacer de cette comédie qu'on appela dans l'Histoire le *combat des chiffonniers* : « Ces types se disqualifient et dilapident mon héritage ! Honte sur nous ! Pauvre de moi ! » À part lui, il pensait : « Maintenant, ils sont indignes de se présenter dans cinq ans à l'élection au Trône… » Puis il écoutait avec ravissement la ballade pop-rock qu'un jeune lycéen monégasque, Josh Stanley, venait de composer en son honneur et qui s'intitulait « Nico reviens ! » Cependant, le peuple ne formait point ce vœu.

Chapitre II

Duel entre le duc de Nantes et le connétable de Montebourg. – Celui-ci tombe à l'eau. – Adieu les ouvriers. – François-le-Guerrier. – Tombouctou, les larmes aux yeux. – La révolte des lodens. – Ses origines et ses cris. – Le démoniaque abbé Wauquiez. – Un gros mensonge de M. Cahuzac. – Adieu la morale. – « Moi, ministre de l'Intérieur ». – Leonarda, reine des Romanichels. – Adieu l'autorité.

Comme François IV restait incapable de dire ce qu'il faisait, le peuple conclut qu'il ne faisait rien. À force de raisonner, de parler, de dicter, de reprendre, de corriger, de raturer, de changer, de refondre, tout s'évaporait et il ne demeurait quoi que ce fût, sinon quelques images tirant sur le grotesque qui surnageaient dans les mémoires. Il y eut d'abord ce duel entre le duc de Nantes, M. Ayrault, et le connétable de Montebourg, lequel avait été affublé au gouvernement d'un titre ronflant autant qu'abscons qui, traduit en français, signifiait l'économie du pays, et principalement son industrie en défaillance. Celui-ci exigeait qu'on sauvât l'usine métallurgique de Florange, ainsi que le Prince l'avait promis lui-même, debout dans le vent et sur une passerelle. Cette promesse ne résista point à la réalité. Le connétable prenait néanmoins son rôle au sérieux ; établi sur cette promesse, il insista en vociférant. Jusque-là, M. de Montebourg était fécond en saillies charmantes, bon convive, prompt à revêtir comme siens tous les goûts exagérés, avec le talent de dire tout ce qu'il voulait, comme il voulait, et de jacasser toute une journée sans qu'il s'en puisse recueillir une vérité. Cette fois, appelant à lui ses réflexes d'avocat, il s'était trouvé une cause à défendre, celle des hauts-fourneaux de Moselle voués à la fermeture, avec son cortège de chômeurs. En cette occasion il tint le verbe haut : « Ici, c'est l'opération Jivaro tous les jours. Les Indiens réduisaient les têtes. Moi, c'est les *plans sociaux*. » On notait l'étrange vocabulaire de l'époque qui désignait en termes positifs les charrettes des licenciés, mais rien n'arrêtait le connétable, ni un vocabulaire impropre, ni ses adversaires de la finance qui le traitaient de farfelu, car ils devinaient que ses nobles moulinets ne se traduiraient point en actes. M. de Montebourg devint cependant le chantre du volontarisme, désireux à lui seul de changer le cours de l'économie ; il en avait tant visité, des usines, et il avait tellement de culot que cela impressionnait. N'avait-il pas convoqué les grands patrons ? joué de la flûte aux syndicats ? tempêté, mobilisé, n'hésitant point à donner de sa personne d'une façon inédite et commentée pour cela, n'hésitant pas à figurer en mannequin pour une marque française de marinières à rayures bleues. Il vit aussi, de la tribune, qu'il se faisait ovationner par la base du Parti social qui était restée sociale.

M. de Nantes, plus réfléchi, plus peureux, se méfiait des nobles envolées du connétable, lequel ne savait rien de la finance, aussi se rendit-il tout ébouriffé au Château, et lança à un François IV irrésolu :

— Sire, il faut trancher !

Notre Délicat Souverain détestait trancher :

— Ah ! M. le duc, je vois que notre connétable vous horripile...

— Je le sens dangereux, Votre Succulence. Hier matin, à l'aube, il est allé distribuer des viennoiseries aux militants de Florange pressés devant sa porte !

— Pour apaiser, sans doute...

— Mais le jour même je devais signer un accord difficile avec le propriétaire du site rebelle, le maharadjah Mittal, dont M. de Montebourg a dit le plus grand mal, et qu'il ne veut plus voir sur notre sol !

— Oui, il s'emporte souvent...

— Votre Suavité ignore-t-elle ce que représente le maharadjah Mittal ? Il m'a promis d'investir cent quatre-vingts millions sur Florange, et que les ouvriers seraient recasés.

— Est-ce bien vrai ?

— Enfin, Votre Magnificence, comment lutter contre la vingt et unième fortune du monde ? Le maharadjah m'a d'ailleurs donné sa parole de végétarien !

— Il est plutôt carnivore avec les ouvriers, m'a-t-on dit...

— Oui, Éminent Seigneur, mais si le connétable exécute son plan, celui de nationaliser Florange...

— Une nationalisation temporaire.

— Peut-être, mais il faut débusquer des repreneurs.

— M. de Montebourg aurait trouvé un Russe...

— Impossible ! Le maharadjah ne cédera jamais le site entier. Il veut conserver les laminoirs, qu'il juge rentables.

— M. le duc, pour l'équilibre de notre équipe, j'ai besoin de M. le connétable. Il traîne après lui mon aile gauche...

— Roulez-le dans la farine, Votre Turbulence ! Nous ne pouvons pas nous brouiller avec le maharadjah Mittal ; lui aussi, il menace, mais il possède chez nous cent cinquante sites et vingt mille de nos salariés !

François-le-Frileux était sensible à l'argument final du duc de Nantes, mais en éblouissant stratège il ne voulait point trop dégarnir son aile gauche au profit de la social-ploutocratie qu'il mettait doucettement en place, mais plutôt s'en servir. Le connétable de Montebourg, qu'il ne désavoua point tout de suite, devait d'abord par son intransigeance effrayer le maharadjah qui, plus tendre du cuir, donnerait des gages aux négociations du duc de Nantes, le double exact du Souverain.

Le connétable de Montebourg s'appuyait sur un symbole du monde ouvrier moribond, haut-fourneau d'or sur fond de gueule ; le duc de Nantes redoutait personnellement de heurter le maharadjah et sa fortune grassouillette, et qu'il n'exerçât aucun chantage en fermant ses usines sur notre sol. François-Double-Jeu devait en fin de compte trancher, mais sans s'affoler ; il savait la réputation de Lakshmi Mittal et son pouvoir de nuire. Il savait qu'à ses débuts il avait acquis des entreprises agonisantes au Mexique, au Canada ou en Allemagne, qu'il avait repris une aciérie de Chicago pour y réduire follement les pensions des conjoints d'ouvriers morts à la tâche, bref, qu'il économisait partout sur la misère en ne se refusant rien pour lui-même. Son palais londonien de Kensington était construit avec le même marbre que celui du Taj Mahal et il avait marié sa fille au château de Versailles (la fête dura six jours). Était-il un adepte du yoga ou celui de la Bourse ? On ignorait jusqu'à son âge. Lorsque le Sénat belge l'invita pour fêter son anniversaire devant un gâteau géant, il sourit : ce n'était pas sa vraie date de naissance, laquelle restait masquée parce qu'en Inde les célèbres se méfiaient des astrologues qui jetaient des sortilèges.

François IV finit par plier comme il l'avait prévu devant les exigences du maharadjah Mittal, adoucies un tantinet grâce au tapage du connétable de Montebourg qui avait été si utile pour cela. Sa Majesté réclama silence et discipline à son aile gauche ; M. de Montebourg, blême, comprit qu'il avait été trompé et utilisé, mais il se tut et demeura ministre tout en sachant la réalité : aux dires du maharadjah lui-même, le site de Florange était le plus compétitif d'Europe, et il n'en aurait jamais coûté un milliard pour le nationaliser provisoirement, mais, selon les services juridiques du fort de Bercy, où se gérait notre finance publique, pas plus de quatre cents millions. Le même M. de

Montebourg, interdit face à la manipulation, entendait les représentants de la Moselle et les ouvriers déçus crier leur révolte, mais ils furent vite enroués.

Au Parti social on s'était impatienté et on se divisa entre purs-sociaux et plouto-sociaux. Comment ignorer la figure massive du commodore Mauroy, avant l'élection suprême de 2002 qui balaya M. de Jospin et le renvoya à son duché de Ré ? Au milieu d'une réunion, M. Mauroy s'était écrié : « Et les ouvriers ? Ils sont où, les ouvriers ? » Oubliés, ils l'étaient, aussi oublièrent-ils à leur tour ce Parti social qui les avait leurrés : parce qu'ils avaient été piétinés à Florange, ils firent leurs adieux et se jetèrent aux extrêmes.

Le Prince avait légué au duc de Nantes le tracas des affaires ordinaires et les dérapages verbaux d'un gouvernement hétéroclite, où chacun reproduisait les escarmouches et les différends du Parti social. Les uns parlaient de libérer le cannabis puisque les lois ne faisaient qu'accroître le consommation clandestine et les réseaux voyous, d'autres prêchaient l'austérité mais certains à l'inverse chantaient la relance ; la cacophonie se transformait souventes fois en disputes brouillonnes qui s'apparentaient au-dehors à de l'amateurisme. Le duc de Nantes essayait d'étouffer ces dissensions mais sa voix ne portait guère.

Au duc les tâches ménagères, au Monarque les visions. François IV n'ayant point d'éloquence, il se tourna soudain vers l'action pure et se changea en chef de guerre à la première occasion, pour rayonner enfin, car le cliquetis des mousquets, les uniformes, les drapeaux et les orphéons militaires, voilà qui vous conférait un profil indéniable de Souverain. Il mit ses espérances en Afrique, parce que le Mali nous appelait à l'aide. C'était une ancienne colonie où l'on pratiquait notre langue, avec une syntaxe plus solide que celle de nos compatriotes de métropole, avec un vocabulaire mieux choisi et plus riche. Or le président Traoré, menacé à la fois par un coup d'État et par d'affreux enturbannés islamistes, demandait par missive des aéronefs pour bombarder le sable de ses déserts. Des bandes de djihadistes malades avaient déjà détruit sept mausolées de Tombouctou ; ils s'apprêtaient à rouler vers la capitale, Bamako.

Si l'intervention était rapide, brève, efficace et sans trop de bavures, la popularité de François IV en sortirait plus gaillarde. Il décida donc tout seul d'attaquer les bandes de nomades éparses du Sahara, très bien armées en Libye, sans trop se soucier des six otages français retenus dans la région ni des messages assassins à lui adressés par des rebelles et qui ne l'intimidèrent aucunement ; cela n'empêchait pas notre police de s'activer autour de nos entreprises et de nos ambassades, pour protéger notre pétrole, notre uranium, nos touristes et nos expatriés, mais aussi, sur notre sol, nos gares, nos musées et nos châteaux d'eau si faciles à empoisonner. Et l'on vit les centurions de François-le-Guerrier avancer le long du fleuve Niger, entre les troupeaux de vaches et de chèvres barbues ; ils s'appliquaient à reconnaître leurs ennemis mêlés à la population locale à laquelle ils ressemblaient terriblement. Il y eut comme une trêve nationale et les plus grincheux reconnurent que leur Intrépide Souverain n'était pas aussi mou et lent qu'ils le prétendaient. Grâce à ses décisions, la prise de Bamako n'eut pas lieu et les Maliens purent respirer, même s'il restait encore quelques poches islamistes qu'on allait bientôt réduire à merci. Lors d'un déplacement à Abu Dhabi et à Dubaï, Sa Majesté en profita pour vanter ses avions Rafale aux dirigeants des émirats qui étaient tout enflés de dollars : « C'est un très bon avion, l'expérience vient de le démontrer. Et notre avion ravitailleur C135, je vous assure, est très performant. » Il n'osa ajouter : « Combien en voulez-vous ? »

Le nettoyage du Mali se poursuivait, malgré des guérillas tenaces, des attentats-suicides et des mines sur les chemins. Au Nord qui bouillait encore, avec ces Touaregs changeants qu'on avait du mal à croire, les vaillants mercenaires de François IV délivrèrent Tombouctou, la ville des trois cent trente-trois saints, bien abîmée, et il fallut rapatrier de la brousse où ils étaient à l'abri des milliers de manuscrits de théologie islamique reliés en cuir de dromadaire. Les soldats trouvèrent des femmes emprisonnées dans une agence de la Banque malienne de solidarité ; ces punies avaient eu le tort de se vêtir trop court ou de rouler des fesses. Ils dégotèrent une jeune fille en tee-shirt orange vif qui avait été arrêtée comme elle étendait sa lessive. Les règles de la charia, imposée par les islamistes locaux, étaient strictes : pas de musique, pas de danse, pas de maquillage, pas de parfum, pas de baignade, pas de ballons, pas de fenestrons, pas de cigarettes sinon des dénonciateurs agiles couraient donner votre nom à la Brigade des Mœurs ou au chef à la barbiche rouge de henné, qui d'ordinaire trafiquait de la cocaïne. Les hommes devaient se laisser pousser la barbe et les femmes se voiler de haut en bas. La cravache, le fouet, le viol, les mains coupées et les exécutions par balles ponctuaient les journées.

Quand François-l'Euphorique débarqua à Tombouctou il fut tout de même surpris par la liesse sincère d'une foule qui gesticulait, chantait son nom, le touchait, le palpait mieux encore que M. de Jouyet. Il dit que c'était la journée la plus importante de sa vie politique. À Paris, tout le monde le félicita, ses adversaires comme les étrangers. Une guerre plus complexe l'attendait, contre le chômage.

Tandis que ces glorieux événements se déroulaient sur le sol africain, une autre sorte d'insurrection religieuse gonflait à Paris autant que dans nos paroisses de province. Si en Arabie et au Sahara, les islamistes égorgeaient les récalcitrants qui rouscaillaient contre un retour imposé au VIIe siècle, chez nous le même genre d'extrémisme, sans doute moins sanglant qu'autrefois, préparait ce qu'à Pékin on aurait nommé le Grand Bond en Arrière. Le mouvement naquit pendant un hiver pour éclore à l'orée du printemps, voilà pourquoi il demeura dans nos livres d'histoire sous l'appellation plus connue de *Printemps des lodens*, du nom de ces habits verts couramment portés à Paris entre la rue de la Pompe et Saint-Pierre-de-Chaillot. Au début il y eut une clameur qui couvrit les grandes orgues à la messe de onze heures : la duchesse Taubira, Garde des

Sceaux, proposait d'ouvrir le mariage aux couples homosexuels. Le mariage ! Un sacrement ! Ces gens de foi qui croyaient dur que la Vierge Marie avait donné vie à un divin poupon sans avoir été troussée, ne fût-ce par le Saint-Esprit, l'archange Gabriel ou son mari, faillirent s'étrangler ; alors ils s'organisèrent pour fortifier leur bastion et processionner. Ils venaient directement des années cinquante, ainsi que les personnages des romans de Mlle Berthe Bernage, laquelle les brodait pieusement pour les jeunes filles des beaux quartiers.

En treize volumes couronnés par l'Académie française, Mlle Bernage nous dévidait sans se lasser la vie exemplaire de Brigitte, son héroïne, et chaque titre sonnait comme un credo : *Brigitte et le devoir joyeux*, *Brigitte et le bonheur des autres*, *Brigitte et le cœur des jeunes*, *Brigitte femme de France*, etc. Étourdie et dépensière dans sa jeunesse, le mariage la leste, et surtout sa nichée de six enfants (à peine moins que chez le duc de Sablé) : voici Roseline, Jean-François, la petite Marie miraculée de Lourdes, des jumeaux « débordants d'entrain », Marie-Agnès surnommée Petit Agneau. La religion donne un cadre à cette réjouissante famille, voyez quelques têtes de chapitre : *Brigitte et le jardin du couvent*, *Brigitte et l'Assomption*, *Brigitte et sœur Chantal*, *Brigitte et la nuit de Pâques*, *Brigitte et*

Jeanne d'Arc, *Brigitte et les Rameaux*, *Brigitte et la montée vers l'autel*... Elle va prier à Notre-Dame quand on consacre prêtre son amour de jeunesse, Jacques, à plat ventre sur les dalles avec d'autres ensoutanés : « Cinquante enfants de ce Paris, dont l'on remarque surtout les frivolités et la révolte alors qu'il cultive toutes les fleurs d'obéissance, de renoncement et de pureté. » Brigitte travaille sans rechigner pour un décorateur à la mode, et la bonne s'écrie : « Madame est une dame, et elle travaille ! » Et la dame de penser : « Je suis enchantée de détruire, dans une âme simple, le préjugé odieux qui fait croire à la classe ouvrière que la classe bourgeoise s'amuse tout le temps. » Quand les Hauteville emménagent à Neuilly dans une maison rose avec des marronniers dans le jardin, c'est pour Brigitte « l'image exacte et charmante de la vie française ». Ce n'est pas comme le jeune Gaétan qui s'enfuit quand sa mère veut se remarier...

Dans le petit théâtre de Mlle Bernage (dont la sœur était institutrice dans une école privée de l'avenue Pierre-Ier-de-Serbie et que coiffait un chignon gris), hommes et femmes portaient des noms épatants, M. de Saint-Romain, Marie-Agnès, Huguette, Roseline qui aimait trop les jupes courtes et n'avait point de vergogne, tante Marthe, Chonchonnette, Olivier, Jean-Joie, Line, Bérengère, ou Gisèle de la Jonquière, toute une géographie qui faisait écho à des fantômes des temps révolus, Hermance Dufaux de La Jonchère, par exemple, qui publia en 1868 un excellent manuel de civilités, *Le Savoir-vivre dans la vie ordinaire*, dédié au marquis César de La Brousse de Verteillac, où l'on recommandait, pour un dîner nombreux, de poser un chien sous la table, ainsi, lorsqu'un invité lâchait un vent malencontreux, pouvait-on chasser le chien, lequel ne devait pas être trop petit pour que la scène ne tournât point au ridicule, ni trop gros pour que la sonorité restât plausible. Eh bien justement, celle qui portait le fanion de la révolte des lodens s'appelait en vrai Ludovine de La Jachère, naguère chargée de la communication des évêques de France, et militant avec ferveur dans la fondation Lejeune contre l'avortement ; elle bloquait, au nom des Évangiles, les chirurgiens dans les toilettes de leur hôpital afin que les fœtus pussent s'ébattre. C'était une intégriste, et, à ce stade, nous vous offrons un résumé.

Résumé

- Les islamistes voulaient revenir au VIIe siècle.
- Les intégristes voulaient revenir dans les années cinquante.

- Les deux pratiquaient à merveille les techniques modernes.
- Deo gratias et Inch Allah !

Les fidèles de la comtesse de La Jachère étaient les héritiers directs des héros de Mlle Bernage. Ils menaient force tintamarre, depuis quelque temps, et surgissaient bien musclés des sacristies. Ils s'emparaient du moindre incident pour affermir leur croisade contre les mécréants. Un film de M. Scorsese les avait indignés ; la salle du quartier Saint-Michel, à Paris, qui avait osé le projeter fut incendiée et il y eut un spectateur blessé à vie. Ils inventèrent alors la notion de racisme anti-chrétien pour punir les blasphémateurs. Leurs cousins salafistes ne parlaient pas autrement, qui les rejoignaient d'ailleurs pour protester contre un spectacle impie de M. Castellucci, *Sur le concept du visage du Fils de Dieu*, en attendant le *Golgota Picnic* de l'Espagnol Serrano qui portait un nom de jambon cru. Ces inquisiteurs d'un nouveau style délaissèrent un moment leurs prières de rue devant les hôpitaux Port-Royal et Tenon afin de combattre les avortements que ces établissements pratiquaient selon la loi, et ils s'étaient retournés vers le Théâtre de la Ville ou celui du Rond-Point, en priant à genoux et en projetant des œufs ou de l'huile de vidange sur les affiches maudites. Les croisés de Civitas s'égosillaient : « On humilie le Christ ! » Sur le même ton, avec un semblable slogan, à l'époque des caricatures de Mahomet, les islamistes braillaient : « On humilie le Prophète ! » Les extrêmes des deux religions confluèrent pour honnir le *mariage pour tous* qui reconnaissait aux homosexuels des droits sans en retirer à personne.

En embuscade il y avait chez nous la Sainte Église.

M. Benoît XVI, le pape d'alors, rédigea un message de vingt-quatre pages où il célébrait la Journée mondiale de la paix en y instillant des raisons guerrières ; il y soulignait sa lutte contre l'avortement, « le meurtre d'un être sans défense et innocent », puis il dérivait sur la famille chrétienne, quoique par moitié elle échouât dans le divorce, et accusait ce mariage pour tous qui la dénaturait. Où sont les repères ? écrivait-il en levant les mains vers les nuages. M. André XXIII, cardinal en exercice, lui emboîta la mule et vingt-cinq de ses évêques le suivirent. L'évêque de Vannes s'exaltait : « Nous devons être des millions, rangés en ordre de bataille, pour faire reculer le mensonge par le témoignage de la vérité ! » Son collègue de Blois proposa d'entrer en résistance, et le Primat des Gaules, des hauts de la basilique de Fourvière, rugit : « Le Parlement n'est pas Dieu le Père!» Un savant dominicain d'Angers, lequel s'y connaissait en mariages et en adoptions, dit d'un air navré: «Et l'enfant, dans tout ça?» Chacun quittait son presbytère pour prêcher sur les places publiques et les fenestrons. On mobilisa dans les couvents, les paroisses et les écoles confessionnelles, on rameuta les associations de parents d'élèves, on discuta du Diable dans les salles de classe. À Chambéry, Avignon, Beauvais, les curés annonçaient en chaire la grande manifestation parisienne qu'ils avaient préparée. Des moines et des scouts astiquèrent les autocars. Les cortèges devaient converger de partout au Champ-de-Mars (dieu de la guerre).

François IV avait la mine contrariée et dans son entourage on s'en inquiétait. Allait-il fléchir à propos de cette satanée loi sur le mariage? Les cancans et les supputations ne discontinuaient pas dans les antichambres:

— Au fond, le Prince n'y croit pas, disait l'un.

— Il n'a pas l'air bien convaincu, disait l'autre.

— Les lois sociales, il s'en méfie. Elles ne lui serviront pas pour être réélu.

— Mais c'est une vraie loi de gauche!

— Justement. Il n'aime pas trop ça.

— Enfin ! c'est la trente et unième promesse de son programme.

— Dis-moi qui est élu sur un programme.

— Quand même, l'affaire est engagée !

— Mais Sa Majesté semble reculer. D'accord, il a déclaré que le mariage pour tous et l'adoption étaient un progrès, puis il a ajouté que le débat était légitime, que les maires pouvaient se faire remplacer par un adjoint s'ils étaient choqués dans leurs convictions et refusaient de marier.

— En fait, Notre Souverain pense toujours que ce genre de couple est une étrangeté…

— Pardi ! c'est à cause de son éducation trop stricte. Et le mariage, pour lui qui ne veut pas se marier…

— Bref, il s'en fiche.

— On pourrait le dire. Seulement il ne veut pas de problèmes, pas de heurts, pas de vagues.

— Pourtant, si ça faisait du foin, on pourrait oublier un peu le chômage. Ça nous reposerait.

Et cela fit du foin. Les associations catholiques avaient tout préparé dans les plus humbles détails. Pour éviter les moqueries contre leurs bondieuseries, les participants venus de Bretagne, de Vendée ou de Nemours apprirent à s'habiller afin de ressembler au peuple de la rue parisienne. Il y eut des consignes : ne portez pas d'écossais ou de bleu marine, pas de pantalons en velours mais des jeans, pas de mocassins mais des baskets, pas de foulards Hermès mais des cheveux relâchés, pas de raie sur le côté mais une barbe naissante, pas de tweed mais du cuir, et des poussettes, des poussettes et des ballons pour diffuser une ambiance familiale. Il s'agissait de montrer une foule calme, aussi les intégristes voyants de Civitas et leurs dizaines d'amis aux crânes ras, peu montrables à l'image, défilèrent à part sous une banderole *Jeunesse nationale*. Cette armée s'ébranla de plusieurs places de la capitale en braillant des mots d'ordre choisis et élémentaires du genre *Un papa, une maman, y a pas mieux pour un enfant* ou *Ma mère ne s'appelle pas Robert*. Ces convaincus s'agrippaient à leurs traditions au nom de la biologie, de la nature humaine et de l'évidence. Quelques enfants étaient encordés comme des alpinistes, d'autres portaient au cou un numéro de téléphone parce que le flot pouvait se refermer sur eux et les éloigner de leurs parents. On vit une dame en permanente brandir une pancarte : *Nos ventres ne sont pas des caddies*, car beaucoup protestaient contre des déviances, telles les mères porteuses, qui ne figuraient point dans la loi contre laquelle ils semblaient se dresser.

Aux sorties de métro, des agitateurs proposaient des bébés stylisés sur des cartons, au milieu d'un parc en forme de code-barres : « Dans le Limousin on vend nos veaux, pas des enfants. » Certaines pancartes levées étaient confectionnées à domicile : « François IV, bouge tes fesses, on arrive à toute vitesse. » Sur un air archiconnu de Mme Piaf, un groupe chantait : « Non, rien de rien, non, on ne lâchera rien... » Des évangélistes de Côte d'Ivoire revendiquaient : « Non au mariage mirage. » Des Belges grossissaient la foule, une famille nombreuse défila fièrement dans des costumes approximatifs de nounours. Ils descendaient de neuf cents cars et de cinq trains à grande vitesse privatisés pour distribuer cinq millions de tracts.

On remarqua peu d'incidents malgré l'affluence, sinon vers la place de l'Étoile où de provocants jeunots titillèrent les policiers qui les aspergèrent de lacrymogènes avec de gros aérosols ; cela ne devint dramatique que sur les réseaux informatiques où l'on expliqua que les gendarmes avaient frappé des enfants ; des hommes politiques jurèrent avoir vu ce qu'ils n'avaient pas vu ; on subit en boucle l'image de la bigote baronne Boutin prise de malaise, tombée au sol et les yeux blancs, mais qui finit par se redresser sans dommage. Les caméras sélectionnaient des gros plans qui donnaient un aperçu de guerre civile, quand, juste derrière, des touristes japonais se photographiaient devant l'Arc de Triomphe.

Étoile filante, en première ligne, Mme Barjot remplissait l'espace, avant que la comtesse de La Jachère mît bon ordre en la chassant de ses actions. Pour l'instant elle parlait, cette ancienne élève de Notre Studieux Souverain lorsqu'il enseignait les sciences politiques, elle hurlait même dans son microphone : « Chacun doit laisser sa bannière, ses origines partisanes et religieuses au vestiaire ! » Sous sa coiffure en plumeau, ses habits rose fluorescent, on devinait l'ancienne fêtarde qui dansait en frénétique sur le piano du Banana Café, froufroutant, gazouillant, une croix dorée au cou ; elle adorait tant qu'on la remarquât au dehors de sa paroisse Saint-Léon. On la vit en effet partout invitée pour chanter le Saint-Esprit, puis elle retomba d'un coup, elle se dispersa comme la manif, discrètement évincée par celles et ceux qui finirent par désapprouver ses contorsions, ses étranges panoplies et son goût immodéré du cirque.

Le Parti impérial s'imposa en s'opposant à la faveur de ce désordre. Il se glissa dans ce rassemblement pour se ressouder après sa guerre intestine, et il plastronna, mené par le duc de Meaux, M. Copé, devenu le chef légal par la triche et qui appela ses rivaux d'hier à le rejoindre place d'Italie pour afficher une unité retrouvée, après tellement de coups fourrés. Ils défilèrent avenue des Gobelins sous une banderole : *Tous gardiens du Code civil* et confiaient aux gazetiers qui les assaillaient que le Monarque ferait bien de retirer sa loi Taubira et de jeter aux oubliettes le mariage gay ; ils appelaient à un référendum. Dans ce flot de marcheurs on n'en distingua qu'un, plus haut de taille, qui marchait sur les pieds de ses voisins pour monter au premier rang et trôner sur les photographies ; il portait une parka rouge sang et des cheveux prématurément gris. C'était l'archidiacre Wauquiez, descendu de son bastion du Puy-en-Velay qui se flattait d'être édifié sur la voie sacrée de Compostelle. Là-bas il buvait la liqueur de verveine et causait de la fête du cochon, mais ici il fallait exister en s'exposant, quitte à faire la roue en prétendant s'adonner au bénévolat et s'entraîner pour le marathon de Paris. Était-ce de la même teneur quand il confia à une gazette qu'il était fier d'être né au Chambon-sur-Lignon où les villageois cachèrent des juifs pendant l'occupation des Germains : « C'est en face de chez moi qu'on accueillit et protégea Élie Chouraqui », dit-il, mais ce réalisateur de cinématographe naquit cinq ans après cette guerre fâcheuse. N'était-il qu'un vantard comme le duc Morin qui se vieillit de dix-sept ans pour affirmer avoir assisté au débarquement des troupes alliées en Normandie ?

L'archidiacre Wauquiez s'étendait à tout, entreprenait tout, et pris sur le fait ne rougissait de rien, maître en inventions et en calomnies, qui ne tarit jamais et qui demeura bien rarement court ; qui se trouvant à découvert et dans l'impuissance se repliait prestement comme les serpents dont il conservait le venin. Il ne cessait d'essayer de vous regagner dans le dessein bien arrêté de vous étrangler ; et tout cela sans humeur, sans haine, sans colère, tout cela à des amis de la plus grande confiance, dont il avouait n'avoir jamais eu aucun lieu de se plaindre. L'ambition la plus démesurée lui faisait tramer ce qu'il y avait de plus sombre, de plus profond pour ruiner ce qu'il y craint d'obstacles, et tout ce qui peut même, sans le vouloir, rendre son chemin moins sûr et moins uni. Tout en lui était calculé pour plaire, crotté avec le fermier, en kimono pour un combat de judo, avec des patins pour inaugurer une patinoire, mais il passait parmi les Impériaux pour un Judas et un obsédé lorsqu'il fustigeait les migrants, les homosexuels, l'islam, tout ce qui effrayait le petit peuple craintif de la droite. Comment et pourquoi était-il parvenu à ce point ?

Son parcours était truffé de menteries.

Il prétendait avoir étudié dans un collège cévenol quand il était allé au lycée Victor-Duruy, et la ferme de famille n'était qu'une maison de vacances. Il réduisait son père divorcé au rôle d'un employé de banque quand il appartenait au cercle des dirigeants d'Indosuez. À Paris, il habitait avec sa mère rue Vaneau, ses fenêtres s'ouvraient sur le jardin de Matignon, une bonne en tablier assurait le service et une cantatrice lui apprit à poser sa voix. Conseiller d'État, à sa sortie de l'ENA (promotion Ribouldingue) il partit en stage au Caire où il apprit, dit-il, l'arabe classique et fréquenta sœur Emmanuelle, ce qu'il racontait avec des détails dont il était le seul à se souvenir. Il vit une dernière fois la religieuse, moribonde, dans sa maison de retraite du Var, mais elle était inconsciente et ne put témoigner de leur relation si intense et si riche. En 2004, le comte Barrot, pieux centriste nommé à l'Europe, lui confia son Val-de-Loire, ses dossiers, une maison et sa femme de ménage ; l'archidiacre Wauquiez devint son fils adoptif et sut écarter le véritable fils avec des menaces. Menaces encore à ses concurrents du Parti impérial qui gênaient son ascension : *Je te briserai*, disait-il souvent. Il affirma à cette époque ses tendances droitières et extrêmes, glorifia les frontières qui nous protégeaient des malséants et des profiteurs, prôna la sortie de l'Europe, saluait une France recroquevillée. Il croisa le chemin de l'éminence noire de Nicolas Ier, l'abominable abbé Buisson qui poussa sa carrière et le fit nommer ministre.

Fut-il conscient de ce climat raciste qu'il avait entretenu autour de lui ? Avait-il vu ce gros curé qui marchait soutane au vent en scandant : « Y a bon Banania ! y a pas bon Taubira ! » Cela sentait nos missions coloniales d'antan, que l'archidiacre Wauquiez devait regretter. Avait-il vu ces fillettes adorables aux joues rondes qui agitaient des bananes pour la Garde des Sceaux, laquelle avait le tort d'être une femme, noire et de gauche, trois défauts peu pardonnables, que des militants primaires comparaient à une primate, mêlant sur leurs écrans l'image de la ministre à l'image d'un chimpanzé. Dans les romans pour jeunes filles de Mlle Bernage, les hommes avaient tous des costumes gris et les femmes des fichus noués sous le menton pour prier à la messe. Les Noirs restaient sur leurs îles, surveillés par nos braves missionnaires.

François-le-Valeureux tint bon sur sa loi et il affirma là-dessus sa fermeté, mais il persistait à ne point exister pour le commun du peuple. Un nouvel embarras avait couvé en même temps que la chouannerie des prêtres et de leurs ouailles dociles, qui cette fois provenait de l'intérieur du Parti social ; il dut faire face à deux fronts, dont le second était plus périlleux puisqu'il rongeait son édifice du dedans.

Il y avait une fois un ministre délégué au Budget qui donnait une pleine satisfaction, M. Cahuzac, duc de Villeneuve. C'était vraiment un employé modèle, toujours exact et toujours plein de zèle. Quand il s'exprimait en public sa parole était simple, forte et claire, à mille lieues du jargon ordinaire et inaudible qui contournait les sujets qu'on ne savait point traiter. M. de Villeneuve portait beau et parlait bien, sans la moindre note et avec beaucoup de chiffres qu'il savait rendre efficaces et jamais ennuyeux. Autrefois le roi Giscard parlait ainsi de chic, et le duc de Quevilly, M. Fabius, avec des démonstrations précises et nourrissantes qui démontraient une parfaite connaissance de la chose traitée. M. de Villeneuve éblouissait son auditoire. Il ne traitait pourtant pas de thèmes faciles, mais il savait huiler son discours de telle manière qu'il semblait limpide et imparable, guidé par une morale supérieure. Le duc avait pour mission de regarnir les caisses de l'État, et il ne pouvait faillir, concoctant un budget de combat en augmentant l'impôt et en freinant la dépense, ce qui le rendait impopulaire chez ses collègues puisqu'il incarnait la rigueur. Se moquant des usages, M. de Villeneuve se forgeait une réputation de sérieux.

Le duc avait le maintien d'un grand bourgeois, le verbe châtié et sa conscience pour lui. On le disait rugueux, il se disait guerrier ; on le disait redouté par ses adversaires, il se prétendait loyal ; on le disait souple comme une barre de fer, il se voulait scrupuleux et méthodique. Le fisc devait lever un milliard supplémentaire et les grands contrôles furent renforcés. M. de Villeneuve mit tous ses efforts contre la fraude.

Au château de Bercy, les fenêtres de son grand bureau de style Empire ouvraient sur la Seine, mais il n'avait pas le temps de savourer cette position rare, mangé qu'il était par son labeur. Ses amis lui avaient offert un grand portrait de l'oncle Picsou de M. Disney qu'il avait encadré au-dessus des canapés. Au cinquième étage où il recevait parfois, chacun se tutoyait et s'appelait par son prénom, on ne disait *M. le ministre* qu'en présence des visiteurs. Le matin, M. de Villeneuve buvait un chocolat chaud qu'il préparait lui-même et, à l'inverse des habitudes, faisait fondre le chocolat en poudre dans le lait bouillant, sinon il cultivait sa sveltesse : grillades, poisson et un unique verre de vin. Rien chez lui de l'énarque arrogant. Il se voulait d'abord pratique, comme le chirurgien qu'il fut longtemps, propriétaire d'une clinique où l'on implantait une chevelure fougueuse aux chauves les plus lisses. Quand il rencontra le baron Emmanuelli, qui présida un temps notre Assemblée, dans le hall d'un aéroport, il désigna ses tempes dégarnies et lui dit : « Il faut vous faire arranger ça. » Et le baron, agacé, demanda au député qui les avait présentés, avec son gros accent gascon : « Qu'est-ce que c'est que ce zigoto ? »

Le zigoto avait sa carte du Parti social depuis belle lurette et penchait naturellement à gauche comme ses parents, d'anciens résistants qui suivirent M. Mendès France, des fonctionnaires parisiens, lui ingénieur naval, elle professeur d'anglais au lycée Henri-IV. Proche à ses débuts du trépidant duc de Conflans, M. Rocard, il se retrouva à cause de son métier conseiller au ministère de la Santé pour les médicaments. Il aimait les risques et les sports éprouvants, sauta en parachute avec les légionnaires de Calvi et chercha partout des records d'endurance. Au début du règne de François IV, lorsque le duc de Nantes lui proposa de diriger le Budget, il eut un temps de silence, une éternité avant d'accepter. C'était pourtant devenu sa spécialité : il présidait alors la Commission des finances à l'Assemblée. Et puis, pensait-il, s'il était ministre il pourrait reconquérir son épouse Patricia avec laquelle il était en train de divorcer. Il n'empêchait que son ventre gargouilla férocement et que la douleur le plia ; son ulcère à l'estomac se réveillait. Allait-il supporter les antibiotiques une fois lancé dans une activité rude ? Juste avant le couronnement de François IV, le duc avait déjà eu du mal à parler, sa mâchoire s'était tordue : il s'était fait casser la figure lors d'un tournoi de boxe, mais il minimisa l'accident, refusa les antidouleurs et se tut. Il gardait toujours son mal pour lui seul.

Il devenait double.

D'un côté il devait pourfendre l'évasion fiscale, de l'autre il avait mis de l'argent à l'abri en Suisse. S'il avait été nommé à l'Agriculture, son indélicatesse n'aurait jamais été connue, mais aux Finances cela pouvait le détruire. D'ailleurs l'affaire éclata assez tôt, dans une gazette qui reproduisait un texte de répondeur téléphonique, vieux de douze ans et soudain sorti du coffre d'un notaire du Lot-et-Garonne : on y reconnaissait à peine la voix de M. Cahuzac de Villeneuve qui s'inquiétait d'avoir placé ses sous dans une banque suisse trop voyante. Était-ce sa voix ? Qui avait livré cette bande au public ? La gazette entraîna dans son enquête nombre de publicistes et de curieux. On fouilla dans le passé du duc, on potina, on développa, on inventa, on certifia, on chuchota, on troubla :

— D'où diable venait cet argent non déclaré ?

— Une clinique huppée des Champs-Élysées, ça rapporte.

— Autant ?

— M. de Villeneuve conseille des laboratoires de pharmacie, tu crois que ces industriels déclarent leurs petits cadeaux ? Et puis il était riche avant d'être député.

— Il paraît qu'il habite un appartement gigantesque avenue de Breteuil...

— Tu ne le savais pas ?

— J'ai lu que des détectives sont partis à Singapour sur la piste de son magot, tu y crois ?

— C'est écrit, donc j'y crois.

— Les politiques de son bord le soutiennent, tout de même.

— Même ceux de l'autre bord. Son avocat s'occupe des affaires du Parti impérial, et la sœur du duc de Meaux, M. Copé, est l'avocate de la duchesse de Villeneuve.

— Houlà ! quelle tambouille !

Quoiqu'on médît de lui, M. de Villeneuve niait le monceau de fadaises dont on l'accusait, mais les gazetiers, tenaces, voulaient son scalp, ils le chassaient en meute et ne le lâchaient plus. Des révélations tombaient de jour en jour. On apprit le titre de son livre de chevet, *Mensonge romantique et vérité romanesque*, du chevalier de Girard, un essai qui l'accablait en dévoilant ses envies. On apprit que son épouse, selon le détective privé qu'elle avait engagé pour filer M. le duc, avait évoqué le fameux coffre suisse qui recelait environ six cent mille euros. On apprit l'ambiance haineuse de son duché du Lot-et-Garonne, où les corbeaux planaient en formation serrée ; on apprit qu'une gazette satirique locale, *La Feuille*, cherchait à débusquer le notable qui fit parvenir l'enregistrement accusateur aux enquêteurs parisiens. On apprit que *Cahuzac conseil* bénéficiait de l'appui financier des industries pharmaceutiques, et que des clients discrets de sa clinique capillaire payaient de la main à la main sans que rien fût déclaré. On apprit que les collègues de M. le duc savaient qu'il possédait des copies de dossiers fiscaux compromettants. On apprit que dans sa jeunesse, il s'était lié à M. Émié, lequel appartenait à un syndicat étudiant de l'extrême droite, et à M. Péninque, aujourd'hui avocat, qui marcha contre le mariage homosexuel et arrangea, semblait-il, l'évasion de son magot vers Singapour. Le public pataugeait, M. de Villeneuve persistait à nier et criait à la calomnie, mais les faits s'amoncelaient, les juges interrogeaient, des témoins surgissaient, des rumeurs couraient, l'affaire s'étirait, les semaines passaient.

Devant l'Assemblée réunie pour l'entendre, M. de Villeneuve s'empara du micro pour annoncer : « Je n'ai pas, je n'ai jamais eu de compte à l'étranger, ni maintenant, ni avant. » Il avait de l'aplomb. Le duc de Meaux, M. Copé, même s'il œuvrait contre le gouvernement du Parti social, le salua : « Le duc de Villeneuve est l'un des rares ministres dont on peut dire d'une manière unanime qu'il connaît vraiment bien les sujets dont il parle. » Et le duc de Chantilly, M. Woerth, qui occupa lui aussi le palais de Bercy : « Ni mon directeur de cabinet ni moi n'avons jamais entendu parler, autrefois, d'un tel compte, et je ne veux pas hurler avec les loups. » Chacun restait prudent et le brouillard devenait épais. M. de Villeneuve continuait à mentir, à François IV lui-même, les yeux dans les yeux, toutefois il dut démissionner lorsque les juges ouvrirent contre lui une information, parce que les charges étaient conséquentes.

M. de Villeneuve tint encore une quinzaine de jours, avant de craquer au lendemain de sa mise en examen pour fraude fiscale. Il donna ses aveux à son journal électronique : « Je demande pardon à Sa Majesté François IV, au Premier de ses ministres, à mes anciens collègues du gouvernement, des dommages que je leur ai causés... » Plus tard il se ressaisira : « Qu'est-ce que c'est, quinze secondes de mensonge dans l'hémicycle alors que j'ai menti sur ordre tous les jours aux Français pendant un an en disant qu'on arriverait à 3 % de déficit public à la fin de l'année... »

L'ébranlement fut tel que l'opinion en bruissa longtemps. Ce n'était plus la somme dérisoire protégée de l'impôt qui tournait dans les têtes, elle ne pesait pas lourd dans la masse de l'évasion financière, mais surtout le mensonge effrontément affirmé. Sa Majesté en perdit vingt-cinq points de confiance et descendit au plus bas dans le baromètre des souverains. S'il savait, c'était un mensonge d'État, s'il ne savait pas, c'était un amateur doublé d'un naïf. Il perdait dans tous les cas de figure, et les politiques dans leur ensemble, que l'on croyait de moins en moins. Quiconque souffrait du chômage voyait en eux des profiteurs. Une gazette titra : *Les ravages d'un désastre* ; des opposants de l'aile gauche parlèrent de *purification éthique*. Eh oui, la morale tant souhaitée en avait pris un coup. Au Parti impérial cela sentait la revanche, certains assuraient que le Prince savait et n'avait point bronché ; le collaborateur d'un ministre de Nicolas Ier avait confié : « Jamais M. de Villeneuve n'aurait dû être ministre, avec les casseroles qu'il a, et surtout avec un compte à l'étranger. » Personne n'était innocent, à part les niais qu'il fallait désigner.

D'abord furieux, François IV se rendit au Maroc en visite officielle, avec la marquise de Pompatweet. À Casablanca, il oublia un peu ses amertumes à la table de Mohamed VI où il leva son verre vide pour porter un toast non prévu, puisque le vin n'était pas de mise en musulmanie, mais le lait d'amande ou le sirop de gingembre. Bref, avec quarante patrons français invités, ce monde dégusta paisiblement des briouates à la taktouka, un potiron farci au couscous et des poissons à la charmoula, dans un décor hispano-mauresque aux plafonds en cèdre sculpté. Après deux jours de délices et de thé à la menthe, il fallut regagner le Château et les suites empoisonnées de l'affaire Villeneuve. Il fut question de moraliser la vie publique, parce que toute bévue de taille provoquait des lois pour la gommer. Les élus durent étaler leur patrimoine, malgré les réticences du duc de Meaux, M. Copé, qui se défiait de la vertu et traita cette exigence de voyeurisme. On sut qu'une ministre avait oublié de déclarer son auto qui n'était qu'une épave, mais on connut par le détail les biens immobiliers, le montant des assurances-vie et le nombre des maisons de campagne. Tout le monde soupçonnait son voisin d'avoir dissimulé un magot et la transparence appelée se changea vite en espionnage. La méfiance s'imposa. De fumeux spécialistes nous imaginaient à la veille de la Révolution et d'autres citaient le krach financier qui déstabilisa les années trente, avec la dépression, le chômage de masse, la corruption et la montée de l'extrême droite. Sur ce dernier point, l'oracle semblait perspicace : beaucoup de ceux qui avaient poussé François IV sur le trône s'en repentaient ; par déception ils changeaient de bord. Dans l'Oise, lors d'une élection partielle, ils se reportèrent sur le candidat du Front populiste de Mlle de Montretout.

L'affaire du duc de Villeneuve s'acheva en confortant une désillusion. De lui on parla encore mais de loin. Il y eut peu ou pas de réactions quand on découvrit que l'épouse dont il était séparé avait monté des trusts commodes chez les Grands-Bretons pour y abriter deux millions d'euros. Quant au duc, lequel avait perdu son duché et ne se nommait plus désormais que M. Cahuzac, des gazetiers le rencontrèrent deux ans plus tard au bord de la piscine bleue d'un palace de Bahreïn ; il discutait avec des amis d'investissements immobiliers au Maroc.

Un ministre de François-le-Mal-Aimé s'en tira avec les honneurs, ce fut le duc d'Évry, M. Valls, qui répliqua sur un ton définitif aux questionneurs : « Comme ministre de l'Intérieur je n'avais aucune raison de chercher à savoir. Nous avons changé de mœurs et on ne peut regretter les mœurs anciennes. Me livrer à une enquête parallèle n'avait aucun sens et aurait été à l'opposé de l'idée que je me fais de ma fonction ! » Il avait tranché. Il n'avait pas sollicité les directeurs de la police et du renseignement pour s'informer des possibles malversations d'un collègue, comme cela se pratiquait sous le règne de Nicolas Ier. Le temps des enquêtes privées était révolu. Les gens aimaient bien l'air intransigeant du duc d'Évry, et son ton cassant rassurait. L'homme savait où il allait et où il voulait nous guider. Sa cote grimpait autant que celle du Monarque sombrait. Il était populaire.

Coiffé court comme un corbeau, le visage tout en angles et une élégante gestuelle de matador, il nichait à l'aile droite du Parti social. On s'aperçut très vite qu'il mettait ses pas dans les pas de Nicolas Ier, suivant le même parcours au palais de Beauvau puis en Camargue lorsque l'ancien monarque frimait devant des gazetiers. Pareillement, il descendit d'une charrette verte et s'avança vers les gardians aux chapeaux noirs qui couchaient sur le flanc un taurillon, prit en main le fer grésillant et marqua l'animal sur la fesse.

— P ? P comme quoi ? demanda un malicieux.

— Vous pensez P comme président, c'est ça ? Vous n'y êtes pas, c'est P comme Pierre, le propriétaire de la manade.

Le duc d'Évry, en chemise blanche et col ouvert, ne s'était pas laissé piéger par la sournoise question ; même si son objectif était bien le Château que Nicolas Ier lui avait fait visiter pour l'allécher, et qu'il prit à l'époque pour une reconnaissance des lieux. Il devait se blinder, rester loyal à son monarque, et chassait de son esprit le souvenir de Nicolas Ier, justement, qui chevauchait naguère sur les terres de Camargue devant des publicistes enfermés dans une carriole : « Je ne suis pas cavalier, ni cavaleur », dit-il, et, continuant ce discours faussement improvisé : « Le sérieux que vous me reconnaissez n'a rien à voir avec l'austérité. » Ensuite il exposa ses opinions sur l'école, la nature, l'économie qu'il choyait pour prendre soudain une certaine hauteur. Il s'affirma favorable au nucléaire et ne voulait point qu'on retournât à la chandelle, salua le monde de l'entreprise et les plantes génétiquement modifiées. Il s'exposait avec clarté à l'aile droite de son Parti biscornu, même s'il devait manœuvrer en tandem avec la Garde des Sceaux, la duchesse Taubira, identifiée quant à elle très à sa gauche. Ils devaient s'entendre, selon le calcul provocateur de François-le-Rusé qui adorait les synthèses impossibles.

Le duc d'Évry fut aidé par les excès des intégristes et des rétrogrades, lesquels traitaient sa consœur de guenon, ce qui était un délit et une brutalité. Les mots racistes n'étaient plus interdits, et la fange si longtemps contenue sortait pour tout contaminer. Les mots surgissaient sans retenue, et n'importe qui se sentait autorisé à user de l'ancien vocabulaire des colons, qui se croyaient civilisés parmi des hommes de bât. Pour ces gens aux cervelles incomplètes, la duchesse Taubira n'était pas légitime puisqu'elle était noire de peau et ils l'accusaient de démolir leur système du dedans en étant ministre. Elle était un symbole à abattre ; personne ne se mobilisait pour la défendre, ou si peu. Les injures pleuvaient. C'était de la haine à l'état pur que cristallisait cette duchesse. Elle laissait couler la bave et ne répondait pas. Sur un fenestron officiel, une figure échevelée du Parti impérial, Mme de Prosciutto-Morizet, expliqua que le duc d'Évry et la ministre de la Justice vivaient dans une hostilité réciproque ; à un moment, une caméra grossit l'image pour isoler ces deux accusés parmi les invités, et ils riaient, côte à côte, comme si Mme de Prosciutto-Morizet avait fait une plaisante astuce, et pour la contredire ils se tenaient par l'épaule, montraient leur parfaite connivence. Dès lors, ils se déplacèrent souvent ensemble. On les vit à Marseille, à Colmar, en Corse.

Ces ministres qui, selon le calcul de Sa Majesté, devaient être complémentaires, s'efforçaient de marier leurs convictions différentes pour présenter un même visage et de semblables objectifs ; ils donnaient ensemble des gages aux deux ailes de leur Parti en se partageant les opérations de communication ; à elle de traiter l'incarcération comme une exception, parce que la prison était un foyer de contagion pour les bandits et les terroristes, tout en augmentant de six mille les places en maison d'arrêt. Voyant à Orléans des prisonniers tassés à trois dans dix mètres carrés insalubres, elle s'écria : « C'est un cauchemar ! » Les émeutes, nourries par de telles conditions, faisaient partie de la vie, comme à Blois ou à Châteaudun où il y eut des incidents graves et des saccages. En prison, on apprenait à tuer.

Le duc d'Évry, lui, personnifiait l'autorité partout où il allait et il allait partout, cet été 2013, profitant de l'absence de ses collègues et du Souverain lui-même. Il courait comme un éclair. À peine apprenait-on qu'à Londres deux islamistes avaient charcuté avec une machette un soldat, à même le trottoir et en plein jour, qu'un militaire français était attaqué au cutter dans le quartier de la Défense. L'agresseur se volatilisa. Il était barbu et vêtu d'habits amples et noirs. La psychose gagnait du terrain. Le duc d'Évry dénonça les voyous et salua des policiers bredouilles. Le voici dans la banlieue, à Trappes, puis dans un banquet à Vauvert, ou devant les députés endormis. Un micro ? Un objectif de caméra ? Le duc arrivait. Les gens appréciaient sa réputation de fermeté qu'il avait forgée à Argenteuil puis à Évry, où il sacrifia les bonnes manières au profit de l'efficacité, quand il eut la gestion de ces villes mélangées, de ces cités pauvres et ensauvagées. Un jour qu'il visitait les quartiers nord de Marseille, il s'accroupit devant un gamin apeuré qui s'accrochait à sa mère, devant une barre d'immeubles : « Tu sais qui je suis ? Tu ne sais pas ? Je suis le chef de la police, tu vois, Superman. » Les gazettes l'aidaient de leurs titres ronflants et de leurs portraits de plus en plus longs et illustrés : *L'ascension d'un ministre ambitieux*, *Les secrets de sa stratégie*, *Un style sans rondeur*. Comme Nicolas Ier au temps de sa splendeur, le duc se peaufinait un personnage plus accessible ; si celui-là se retrouva en vedette dans les magazines roses au bras d'une mannequin, celui-ci s'y retrouva mêmement au bras d'une violoniste. Il fallait exposer un brin de vie intime pour devenir le héros humain d'un feuilleton, et s'approcher plus près du peuple. À la sortie d'un concert, à Menton, le duc d'Évry s'exposa en gros plan et sur une double page en train d'embrasser sa compagne avec fougue. À cela s'ajouta ce dont les gazettes du cœur raffolaient : un lourd secret, une faille, une ombre. C'était dans un livre intitulé *Le Secret d'un destin*, qui sortit pour l'éclairer. Le relayant et l'illustrant, une gazette hebdomadaire sur papier glacé fit sa couverture avec une ancienne photo de vacances, devant la mer, où le jeune duc était en maillot à côté de sa cadette, Giovanna, et en grosses lettres jaunes : *Il a sorti sa sœur de l'enfer.* À l'intérieur, sa famille s'invitait et flattait son caractère résolu. De quel enfer avait-il donc sauvé Giovanna ? D'une ligne d'héroïne longue comme un serpent afin d'oublier un amour déçu à seize ans, et le désastre, l'engrenage mortifère, l'habitude puis la routine, la rechute, l'overdose, l'hôpital, et le frère en archange protecteur qui en conclut l'horreur de toutes les drogues, qu'elles fussent douces ou dures.

Comme ceux qui se contenaient pour faire bonne figure, le duc d'Évry laissait quelquefois exploser ses colères, mais en privé, portes closes, devant des témoins choisis. Il en avait besoin car les occasions étaient permanentes. Avec ses gants de boxe, il se vengeait sur des sacs de sable, après seulement il retrouvait sa maîtrise et son maintien ordinaire. De multiples sujets lui faisaient bouillir le sang. Les problèmes assaillaient celui qui entendait restaurer l'autorité. Il vécut dès lors dans un tourbillon. La violence ? Un train déraille en gare de Brétigny, le commissariat de Trappes est assiégé par des voyous armés, les cambriolages augmentent, des prédicateurs salafistes courent les prisons et les mosquées pour embrigader de jeunes kamikazes, Bezons est sous la coupe des trafiquants, les gens du voyage accroissent l'insécurité. Le duc voulait des résultats à présenter. Il isola le cas des Romanichels et cogna fort.

Il nous renvoyait au cœur des années cinquante, lui aussi, en prolongeant les idées noires et les préjugés tenaces de cette époque. Nous lisions alors les aventures de MM. Tintin et Spirou, lesquels pourfendaient ces mauvais penchants envers les Romanichels. Dans *Les Bijoux de la Castafiore*, l'émeraude de la cantatrice, que lui avait offerte le maharadjah de Gopal, a disparu. La police en accuse aussitôt les Romanichels qui campent dans le bas du parc de Moulinsart. L'inspecteur Dupont est formel, page 47 :

— Les voilà, les coupables ! Ça ne fait pas l'ombre d'un doute !

— Mais voyons ! s'exclame M. Tintin, la houppe frétillante, quelles preuves avez-vous ?

— Des preuves ? Nous les trouverons ! Ces gens sont tous des voleurs !

M. Tintin découvre l'émeraude dérobée dans le nid d'une pie, la véritable voleuse. Dans *Il y a un sorcier à Champignac*, le même scénario se reproduit. Qui est responsable des actes de malveillance qui se multiplient ? Le Romanichel qui a posé sa roulotte dans le pays, et ces villageois l'accusent, ils organisent une battue pour le mettre en charpie, quand M. Spirou découvre que le véritable sorcier n'est autre que le comte. Bien des élus raisonnent comme le maire de Champignac et traquent les Romanichels, des vagabonds chapardeurs et interdits de travail, qui ne disposent d'aucun point de chute légal. Lorsqu'ils s'installèrent sur les deux terrains de football de sa ville, le duc de Nice, M. d'Estrosi, les accabla : « J'en ai maté d'autres, je vous materai ! » Et il disposa tout autour des caméras pour les espionner. « Non à la présence urticante et odorante des Romanichels ! » avait hurlé dans la même ville de Nice M. Jean-Marie de Montretout qui menait le Front populiste.

Il en était de même sur tout le territoire. Le maire de Guérande démissionna pour protester contre l'installation dans sa commune de cent cinquante familles illicites. Mêmes débarquements fâcheux à Istres, à Montpellier. Le maire de Cholet, face à une semblable situation, avait marmonné : « Hitler n'en a peut-être pas tué assez. » Les propos, publiés par *Le Courrier de l'Ouest*, furent démentis mais le mal demeurait. « Regardez les grosses voitures avec lesquelles ils tirent leurs caravanes, disait encore le duc de Nice. Il faudrait parfois aux Français toute une vie pour pouvoir se payer les mêmes ! » Quelquefois les mairies, selon la loi, offraient des aires d'accueil, mais bétonnées, sans ombre ni herbe et en bordure de route. Cela explosait partout comme à Champignac. On vit se monter des expéditions punitives. Darius, un Romanichel de seize ans, fut retrouvé inconscient dans un chariot, à Pierrefitte, à deux pas de la station de tramway Jacques-Prévert. Le jeune avait été surpris allée Boris-Vian avec une poignée de bijoux volés ; un groupe de Noirs cagoulés le ratrappent et lui donnent des coups violents, selon des témoins, qui avaient entendu claquer des armes. Darius était un déficient mental. Partout, les Romanichels étaient perçus comme des délinquants, ce qu'ils étaient d'ailleurs souvent. Dans le métro parisien, par bandes comme les étourneaux, des enfants romanichels plongeaient leurs habiles petites mains dans les sacs des touristes. Où qu'on se tournât ils étaient gênants. À Montévrain, des habitants en commando, avec des chiens, leur interdirent de se poser dans un champ ; à Saint-Ouen, on s'aperçut que leur campement, installé sur des voies ferrées, menaçait le chauffage de Paris ; à Wissous, le maire coupa l'eau d'un autre camp de baraques bâchées. L'hostilité grandissait. On criait encore après les voleurs de poules, on cria aussi contre les voleurs d'enfants.

À Marseille, un gang de Roumains vendait des nourrissons à huit mille euros pièce. À Farsala, en Grèce, juste derrière la statue d'Achille en bronze, qui embellissait la place principale, commençait un ghetto où la police ne s'aventurait guère. Là, pourtant, les gazettes internationales s'intéressaient à une fillette aux cheveux blonds découverte chez les Romanichels. D'où venait-elle ? Ses faux parents furent mis en détention. L'enfant avait été abandonnée par sa mère, une prostituée bulgare, et ils l'avaient adoptée. Et les autres enfants ? Ils en avaient déclaré quatorze dans trois villes différentes ; trois de ces enfants seraient nés en cinq mois...

Le duc d'Évry raviva à cet instant le grand thème du régime précédent, celui de l'immigration, lequel terrifiait nos compatriotes qui cauchemardaient sur une possible invasion de nos terres par des hordes venues de l'Est, comme les Huns et les Vandales. Il fallait contenir cette immigration sauvage, le duc d'Évry en était convaincu et les trois quarts du pays l'approuvaient. Il pensait que la sévérité et sa publicité le servaient ; il en usait sans souci. Il vit la Jungle de Calais où des Syriens, des Afghans, des épuisés de l'Afrique noire qui craignaient les massacres et les famines regardaient avec amour les gros camions filant sous la Manche vers l'eldorado des Grands-Bretons, lesquels leur interdisaient l'entrée. Ils essayaient malgré tout de franchir ce bras de mer, piétinaient à l'entrée du tunnel sous-marin, buvaient dans le centre-ville, se battaient entre eux avant de retourner se cacher comme les bêtes sous des fourrés. Le duc de Meaux, M. Copé, s'alarmait en paroles du peu de réaction des autorités, et il donnait le Canada en exemple, à quoi le duc d'Évry répondit en se moquant : « Mais le Canada n'a qu'une frontière avec les États-Unis et les pingouins qui émigrent sont peu nombreux. » Ah ! le droit d'asile était un sujet délicat. Avec les Romanichels, dont personne ne voulait, même chez eux en Roumanie, on pouvait fortement répliquer sans soulever trop de protestations. Le duc s'y employa. Il répétait que ces Romanichels, pour la plupart, n'avaient aucune envie de s'intégrer à nos coutumes et il reprit les discours du maire de

Champignac. Il envoya des bulldozers contre leurs masures dégoûtantes qui dénaturaient l'abord de nos bourgades, alors les Romanichels se dispersaient dans la région. On fabriqua des villages pour les parquer, mais cela suffisait-il pour accompagner des familles ? Les associations charitables et les élus en doutaient.

Le mercredi 5 octobre, une quarantaine d'élèves du collège André-Malraux de Pontarlier se lèvent à l'aube pour grimper dans un autocar : ils vont en sortie scolaire à Sochaux. Le bus démarre. Non loin il se range sur le parking du collège Lucie-Aubrac. La ronde Leonarda, quinze ans, ramasse ses affaires, dit au revoir à ses camarades et descend avec sa professeur d'histoire-géographie, laquelle remet la jeunette à des fonctionnaires de police qui l'emmènent discrètement à l'aéroport de Lyon, où elle retrouve sa famille et monte dans un vol pour le Kosovo. Entré irrégulièrement en France, Resat Dibrani, le père qui se prétend kosovar, a été embarqué la veille pour la même destination, après quatre années de procédures manquées. Tout est légal, sans violence.

Cette banale expulsion allait exploser au nez du duc d'Évry. François-le-Débonnaire lui-même en sortit tout éclaboussé. Les premiers hurlements vinrent de la gauche du Parti social qui se défiait depuis des mois du duc d'Évry et de son pouvoir si excessif qu'il éclipsait dans l'opinion celui du Souverain. Beaucoup s'indignèrent et le firent savoir. Les conditions de l'interpellation furent jugées choquantes. « Dans un bus scolaire ! » soupiraient des militants. « Il ne faut pas aller chercher les enfants à l'école ! » s'étranglaient de honte ceux qui n'avaient pas assisté à la scène, mais cela leur rappelait les méthodes de M. d'Hortefouille ou du cardinal de Guéant, sous le règne honni de Nicolas Ier. Des jeunes sociaux prirent le relais : il fallait régulariser Leonarda et les siens.

La colère des représentants du Parti social se tourna contre M. d'Évry : « Quand va-t-on éloigner du gouvernement le ministre de l'Intérieur ? » Dans les couloirs de l'Assemblée, l'humeur virait au noir : « Aller chercher une enfant dans le cadre scolaire, c'est une rafle ! » On entendait *effroyable*, *indigne*, *scandaleux*, *inhumain*. Pour compliquer l'histoire, le préfet du Doubs avait été nommé au temps de Nicolas Ier. La polémique montait. Des dignitaires du Parti demandait que la collégienne pût revenir en classe. Où était donc le duc d'Évry ? En Espagne, à Cáceres, pour une simulation d'accident nucléaire, quand les grilles de la sous-préfecture de Morlaix venaient d'être défoncées, et que des casseurs bretons à bonnets rouges renversaient les portiques où leurs camions devaient acquitter une taxe écologique.

François-l'Anguille demeurait absent et fuyant. Des lycéens descendirent dans la rue pour soutenir les expulsés, on n'en comptait que sept mille mais s'ils se mobilisaient ? Leonarda risquait de déclencher une émeute de jeunes, or le Prince redoutait cet affrontement. « Les vacances de la Toussaint approchent, prédisait un conseiller. La contagion peut s'enrayer. » Fallait-il, comme apaisement, faire revenir Leonarda ? Était-ce la faute des fonctionnaires ? Non, on se les mettrait à dos. Un autre jeune venait d'être renvoyé en Arménie ; des élèves du lycée Voltaire soutenaient Ferroudja, une Algérienne menacée qui rêvait d'être pilote à Air France. Entre Nation et Bastille, les cortèges criaient : « On est tous des enfants d'immigrés ! »

Le Prince avait perdu son autorité et il n'intervenait même pas. Au salon de l'élevage de Cournon-d'Auvergne puis devant la mairie de Saint-Étienne il avait été hué et sifflé pour la première fois. Son parti grondait contre ses hésitations et la marquise de Pompatweet se sentait concernée par le sort de Leonarda. Alors le Prince s'empara de l'affaire. Volant la parole au duc de Nantes, son Premier, il s'exprima le samedi 19 octobre, acceptant de descendre ainsi à un niveau qui n'était point le sien. « Il faut clôturer cette séquence et passer à autre chose », expliqua-t-il. Il voulait montrer sa fermeté et oser un geste envers la jeune Leonarda, mais refusa de mentionner que l'inspection générale de l'Administration, dans un rapport, avait justifié l'expulsion et accablé la famille kosovare, parlant d'absentéisme scolaire, d'insultes aux personnels sociaux, d'un père qui refusait toute embauche et fut placé en garde à vue après un cambriolage.

Figé devant la verdure des jardins du Château, Sa Majesté tint un discours terne dont une phrase resta gravée : « Si Leonarda en fait la demande, compte tenu des circonstances, et qu'elle veut poursuivre sa scolarité en France, un accueil lui sera réservé et à elle seule. » Sur une chaîne voisine, la fillette apparut au fenestron depuis le Kosovo ; elle répliqua au Souverain et on crut à un duo ridiculement intitulé « La gamine et le monarque », où, sans se démonter, elle dit : « Je n'irai pas seule en France, je n'abandonnerai pas ma famille. Je ne suis pas seule à devoir aller à l'école, il y a aussi mes frères et sœurs. »

M. d'Évry, qui discourait en Martinique pour parfaire son image, apprit les propos en guimauve de son souverain et piqua une colère : « Si on ne veut pas de moi, je peux m'en aller ! » Il regagna la métropole dans la précipitation afin de tenir la situation, parce qu'il tendait à remplacer François IV, lequel, dans cette affaire de Romanichels, avait été à la fois grotesque et désavoué par le gros de ses troupes. Il n'eut pas à lutter trop fort contre ceux qui protestaient : la famille Dibrani, dès qu'on la vit, servit au mieux ses intérêts, tant ces réprouvés parurent arrogants, désagréables et ne reflétaient en rien des immigrés ravis de s'intégrer. Ils jouaient les vedettes et la tête leur en tournait. Ils vivaient désormais dans un appartement que l'État français avait négocié avec le Kosovo, au premier étage d'un pavillon avec jardinet du centre-ville de Mitrovica. « Maintenant je suis une star ! disait Leonarda. On a vu sur les fenestrons électroniques que les lycéens descendaient pour nous dans les rues ! » Le père, qui ressemblait à M. Nino Manfredi dans *Affreux, sales et méchants*, s'en prenait au duc d'Évry en personne : « J'l'ai entendu dire *Les Romanichels dehors* ! C'est lui qu'a tout comploté ! » Des dizaines de gazetiers français assiégèrent leur refuge. L'œil des caméras attirait les Dibrani et si le téléphone ne sonnait plus, Leonarda s'inquiétait, puis elle reprenait ses poses sur le canapé, et sa sœur Maria lui tournait autour avec une robe neuve. Dans un coin, on devinait les valises bouclées pour le retour à Pontarlier. Le lendemain on revit les valises mais défaites : on venait d'apprendre que le père avait menti afin d'obtenir le statut de réfugié : il l'avait avoué. Les Dibrani n'étaient plus fréquentables. Plus on en sut à leur propos et mieux leurs soutiens s'évaporaient.

Dans le Doubs, cette famille problématique vivait de petits boulots et de subventions. La mère parlait italien parce qu'elle était née près de Rome et ne s'efforçait pas d'apprendre le français. Le père allait chercher le pain pour les personnes impotentes et il donnait un coup de main à l'antenne des Restos du cœur en échange de cartons de ravitaillement. C'était un geignard qui se plaignait de tout, de ses oreilles, de son cœur, et il fumait cigarette sur cigarette, embêtait en permanence le maire du village pour lui réclamer des aides qui tardaient. Étaient-ils italiens, croates, kosovars ? Le seul papier qu'ils pouvaient produire était un faux contrat de mariage acheté cinquante euros à Paris. Ils venaient d'Italie, de Fano, au bord de l'Adriatique où ils avaient habité une vieille école délabrée ; le père récupérait des ferrailles et les enfants mendiaient. Pour cuire le méchoui ils récupéraient le bois des portes. Leur coupait-on le gaz ? Les réseaux sociaux leur donnaient assez d'euros et le lendemain ils avaient une télévision dernier modèle. Indésirables, ils avaient fui en France, où désormais plus personne ne les désirait. Le tintamarre retomba. Ils avaient découragé les plus bienveillants, et on passa à autre chose. Cet hiver-là il y eut soixante mille chômeurs supplémentaires ; les trois millions de sans-emploi ne cessaient de grandir.

Chapitre III

PROXIMITÉ DE MM. DIEUDONNÉ ET LUCIFER. – MADEMOISELLE JULIE. – RÉPUDIATION DE LA MARQUISE DE POMPATWEET. – LE PARTI IMPÉRIAL SE DÉCHIRE. – LA CLAQUE. – LE DUC D'ÉVRY, PREMIER MINISTRE. – IL FAIT LE MÉNAGE. – CROQUIS DU JEUNE COMTE MACRON. – L'AFFAIRE MORELLE. – BYGMALION. – BONJOUR, PAUL BISMUTH. – PHILIPPOT-LE-VAMPIRE. – LA MARQUISE SE REBIFFE. – UN BARRAGE CONTRE LES PACIFIQUES. – NICOLAS-LE-TÉMÉRAIRE REVIENT.

Le monde où nous vivions était triste. Dans un tunnel de la gare du Nord une femme se jeta sous un train ; les voies durent être interdites pendant cinq heures en provoquant un marasme. Il y eut cette année-là quatre cents suicides sur le réseau de l'Île-de-France et soixante-quatre dans le métropolitain. Un technicien de la Poste avala des médicaments qui le plongèrent deux jours dans le coma ; à son réveil il dénonça les conditions de travail qu'on lui faisait subir au nom de la rentabilité. Un salarié du centre d'essais de Renault, à Lardy, se planta un couteau dans le ventre. Un cadre supérieur, épuisé, se pendit chez lui après avoir reçu quinze cents messages professionnels. François IV, pourtant très affaibli par sa fonction et son manque de résultats, poursuivait son règne avec une mine joviale, sur laquelle titraient les gazettes puisque son optimisme ne semblait guère de mise, mais Notre Monarque Réjoui songeait aux préceptes de son maître Mazarin : « Éloges, flatteries, adulations, sarcasmes… Dans tous ces domaines l'hypocrisie humaine est reine. Procure-toi les pamphlets qu'on publie contre toi, lis-les, montre-les à tout le monde et fais mine d'en rire de bon cœur : tu décourageras leurs auteurs. »

S'il s'en tirait par des pirouettes, François-la-Fêlure manœuvrait en douce pour paraître un authentique monarque ; il ne comprenait pas pourquoi il glissait si bas dans les sondages quotidiens dont ses administrés étaient gourmands. « J'ai passé beaucoup de temps sur la crise du Mali ! » disait-il, mais justement, on lui reprochait de ne point ferrailler contre le chômage et sa gangrène. Il croyait avoir pris des mesures mais ce n'étaient que des pansements. Il avait diminué surtout les statistiques en multipliant les contrats aidés et les formations, avait échoué comme c'était prévisible avec ce qu'il avait nommé les contrats de génération, qui liaient à l'embauche un jeune et un vieux – belle utopie. Tout cela était tellement artificiel, tellement une routine de tous les pouvoirs. Nicolas Ier avait eu recours aux mêmes stratagèmes. François IV décevait ses partisans et se faisait houspiller par ses adversaires ; il trouvait la situation trop injuste. « Sa Majesté déteste qu'on le haïsse », confia un intime, mais on ne le haïssait point comme son prédécesseur, on le négligeait. Où en était sa réforme fiscale ? Et le droit de vote, aux municipales, pour les immigrés qui payaient leurs impôts ? Aux oubliettes.

Il cherchait des idées au spectacle de l'étranger. En Germanie, la croissance retombait puisque les exportations dépendaient de l'Europe et que l'Europe toussotait. Frau Merkel allait peut-être s'adoucir. Il courut au Japon étudier la façon dont cette île s'en était sortie, et il offrit des bouteilles de saké dénichées dans les caves du Château où le roi Chirac les avait remisées : *Chiraku* était une réelle divinité japonaise. Fut-ce à cause du saké, mais la langue de Notre Majesté fourcha quand il rendit hommage aux victimes nippones d'une prise d'otages malheureuse en Algérie, et il fit ses condoléances au peuple chinois. Qu'importe, il était conquis par la croissance de Tokyo, grâce à ses largesses budgétaires et à la souplesse de sa monnaie, ce que l'Europe repoussait. On vit François IV se promener dans le monde avec son cortège d'hommes d'affaires, mais les gazettes étrangères ne l'épargnaient point. *Die Zeit* se demandait s'il gouvernait encore : « Grande nation, petit roi », écrivait Herr Hanke. La *Frankfurter Allgemeine Zeitung* expliquait que la France était au bord de la sédition, et dans *El País* le señor Mora disait Notre Monarque paralysé et sans idées. Pour le *Times*, il proposait des mesures sans réfléchir, et pour *The Economist* : « À chaque fois c'est comme si les choses ne pouvaient être pires, et pourtant c'est le cas. »

Tout allait en effet de traviole. Le duc de Nantes, M. Ayrault, n'avait plus aucune prise sur ses ministres qui bataillaient pour eux-mêmes et en désordre. Il ne servait plus de bouclier à son souverain, lequel se retrouvait sans cesse en première ligne et prenait les coups que son Premier aurait dû parer. Le Parti social se démobilisait. On parlait de remanier le gouvernement, mais quand ? Le duc d'Évry se dévoila dans une gazette : « Une cristallisation s'est opérée dans mon camp contre moi, parce qu'il s'est produit un déclic : les gens considèrent que je peux être le Premier des ministres. Je suis blindé et je parle clair. »

Ce langage musclé plaisait jusqu'au gros du Parti social ; les moustiques hostiles qui voletaient autour de ses mesures impérieuses, le duc d'Évry en sentait à peine les piqûres. Au reste, les candidats de son camp aux municipales prochaines le recherchaient, ils pensaient que sa présence les avantagerait. On le réclamait sur les podiums à Grenoble, à Suresnes, à Châlons. Sur le dossier des Romanichels, seize élus manifestèrent dans une gazette en sa faveur. Les maires d'autres tendances se rapprochaient de lui après l'avoir critiqué. Le duc allait une fois de plus frapper fort aux yeux du public, cette fois contre l'obsession antisémite, laquelle était criminelle au regard de nos lois. Ce fut l'affaire Dieudonné ; elle éclata au mois de janvier 2014.

À la mairie de Brest, le duc d'Évry se posait en champion contre ce provocateur malsain, quand il apprit que le Conseil d'État lui donnait raison en interdisant que Dieudonné M'Bala M'Bala se produisît à Nantes. Le même soir, l'humoriste attendait son public dans la salle du Zénith, mais il se résolut à demander aux spectateurs de rentrer chez eux ; ceux-ci crièrent à l'injustice, il leur promit un enregistrement de son spectacle. Au même moment, deux élèves du lycée Rosa-Parks de Montgeron étaient exclus : dans leur vote pour élire les délégués de leur classe ils avaient noté Hitler, Jean-Marie de

Montretout, Klaus Barbie ; les sentiments nauséabonds étaient liés et M. Dieudonné les représentait. Le maire d'opposition d'Orléans interdit alors le spectacle qu'il devait donner le lendemain dans sa ville.

Avant de se vouer au mal, Lucifer était un ange ; M. Dieudonné aussi. Il était né à Fontenay-aux-Roses d'un comptable camerounais et d'une sociologue bretonne. À quatorze ans, curieux de la comédie, on le vit au cours Simon déclamer du Ionesco. Son corps massif, son visage mobile exprimaient la gamme des sentiments, de l'hébétude à la colère. Il vendit d'abord des voitures pour vivre, avant de constituer un tandem avec M. Semoun, en Laurel et Hardy des banlieues, avec des saynètes acides et loufoques qui moquaient nos travers en opposant le grand Noir godiche au petit Juif nerveux. Patatras ! M. Dieudonné largua les amarres, trop gourmand, dit-on, pour partager les recettes. Seul, il donna une quinzaine de spectacles à Bobino et au Casino de Paris, puis dans nos provinces. Il racontait un tocard qui préférait le football à l'accouchement de sa femme, un homme de ménage alcoolique et xénophobe, un gendarme qui regrettait le bon temps de la torture en Algérie. Il était encore drôle quoique de plus en plus grinçant. Il s'était entiché de la politique et se présenta à Dreux contre les partisans de Jean-Marie de Montretout, mais plus tard il demanda à ce dernier d'être le parrain d'un de ses fils. Il changea du tout au tout. Il passa de la dénonciation de l'esclavage aux colonies à celle du système, soit un agglomérat de bandits masqués qui gouvernait la finance du monde, où notre ancien comique pointa les juifs avec des mots qui dataient de plusieurs siècles. Il en joua. Il s'installa à la rubrique des faits divers.

M. Dieudonné emprunta à la cuisine lyonnaise ses fondantes quenelles de brochet pour les changer en signe distinctif de la tribu qu'il constituait autour de ses diaboliques saillies. Il suffisait de tendre un bras au sol et de poser l'autre main sur ce bras, mine de rien, mais sur les écrans électroniques des dizaines de milliers de jeunes réprouvés l'imitaient pour clamer leur haine d'un système qui les brimait et les laissait à la rue. Des quenelles se glissèrent partout, chez des pompiers, des syndicalistes, des militaires, sur des photos de classe, pendant des mariages ou des matches de football, d'autres devant des synagogues, et même au mémorial de la Shoah à Berlin, où l'on reconnaissait le crâne luisant de M. Soral, lequel s'affichait antisémite militant et servait de maître à penser à l'ancien humoriste devenu agitateur raciste ; M. Soral était une intelligence dévoyée qui théorisait ses échecs et les façonnait en bombes. À son exemple, M. Dieudonné critiquait systématiquement les juifs, profitant des guerres du Moyen-Orient, et sur scène il bâtonnait les gazetiers qui les avaient refusés dans leurs émissions : « Si les Allemands reviennent, pas sûr que je le cacherai dans ma cave, celui-là ! » Ou de cet autre : « Quand je l'entends parler, je me dis, les chambres à gaz... Dommage ! » Et son public s'esclaffait. Tous des antisémites, ces adeptes de la quenelle ? Non, disait Amel, une étudiante : « Il n'y a rien de méchant dans la quenelle, ce n'est pas antisémite mais antisystème. » Devant le théâtre de *la Main d'Or*, où jouait M. Dieudonné, on remarqua cependant des saluts nazis.

Dans cette époque brutale que nous traversions, les révoltes s'étouffaient dans le sang ou dans le temps. L'antique théorie du complot que voulait ranimer M. Dieudonné ne dura donc qu'une saison avant de s'évanouir, grenouiller dans les souterrains et ressusciter plus tard, tant la sottise a la peau dure, qu'aucune parole sage ne peut enterrer. Avait-il des convictions, lorsqu'il guignolait sur une scène pour qu'éclatassent de rire les extrêmes réunis de droite et de gauche ? M. Dieudonné avait au moins une conviction simple : l'argent ; il en avait toujours voulu, il l'amassait ; il avait les réflexes filous des banquiers et savait s'entourer.

Il prônait l'horreur du système pour consolider son propre système. Le terme *quenelle* avait été enregistré à l'Institut national de la propriété intellectuelle dès le 1er octobre, par sa compagne Noémie, surtout dans le domaine de la boisson et des médias ; M. Bocuse pourrait donc continuer à servir des quenelles sauce Nantua. Mme Noémie surveillait la carrière de M. Dieudonné et avait même créé E-quenelle, une société de conseil en relations publiques. Le vagabond du spectacle comique avait un patrimoine. Ce fut là-dessus que le duc d'Évry l'attaqua, comme autrefois les fédéraux d'Amérique attaquèrent M. Al Capone, l'irréprochable gangster : mieux valait combattre un tas d'or que le racisme, mieux valait inspecter les poches que les âmes. En ce temps-là, les coups d'État eux-mêmes étaient financiers. Mieux valait ruiner son adversaire que le livrer aux juges ; et on se demanda si ses spectacles suffisaient à engraisser M. Dieudonné.

Si vous le condamniez pour injure, il se disait persécuté et prétendait ne gagner chaque année qu'une somme misérable. Il ne payait plus d'impôts depuis quinze ans. Comment avait-il produit son film, *L'Antisémite* ? Avec de l'argent iranien. Les ennemis d'Israël ouvraient pour lui leurs coffres. Il s'était aussi rendu en Syrie chez son ami

Assad-aux-mains-rouges, et M. Chatillon, très proche de Mlle de Montretout et du Front populiste, l'avait accompagné. Le théâtre de *la Main d'or* ne lui rapportait donc rien ? À lui, rien. À sa famille beaucoup plus. Les Productions de la Plume s'occupaient des spectacles et des produits qui en dérivaient ; Noémie et la mère de M. Dieudonné dirigeaient cette machine à pactole. Ne parlons même pas des abonnés que l'artiste maudit récoltait sur différents réseaux électroniques incontrôlables.

Il fut bientôt accusé d'escroquerie, de corruption, de fraude fiscale, d'abus de confiance. D'où provenaient les quatre cent mille euros virés par un parent à une société camerounaise, Ewomdo Corp Sarl, qui importait des lubrifiants pétroliers en provenance du Qatar ? Des limiers perquisitionnèrent chez M. Dieudonné, ils y découvrirent des dollars et des centaines de milliers d'euros en liquide. Cet insolvable était plusieurs fois propriétaire. Il avait une demeure sur un hectare au Mesnil-Simon, avec tennis et piscine, et avait fait racheter par Noémie une autre maison à Saint-Lubin-de-la-Haye, vendue aux enchères par le fisc. Tandis que les enquêtes se prolongeaient et s'enquillaient avec minutie, M. Dieudonné rentra peu à peu dans l'ombre des coulisses.

Il arrivait au duc de Nantes de confisquer à son profit les initiatives réussies par son ministre, le duc d'Évry, omniprésent et aimé du plus grand nombre, lequel empiétait avec impudence sur le terrain de ses collègues et même sur celui de Sa Majesté. Les récupérations du duc de Nantes tombaient généralement à plat, tant à l'écrit il semblait ennuyé et ennuyant à l'oral. Notre Souverain Majestueux échappait, pensait-il, à cette ingérence de M. d'Évry en batifolant à l'étranger, car nos affaires internes n'avaient rien de folichon, et il n'avait pas la moindre idée forte ou spectaculaire pour résorber le chômage. Cependant, en janvier 2014, volant la vedette à M. Dieudonné, le gibier de M. d'Évry, il allait enfin monter au-devant de la scène, mais point noblement, plutôt comme l'un de ces comédiens aptes à la gaudriole qu'avaient inventés pour le théâtre de boulevard MM. Feydeau ou Labiche ; la pièce qu'il allait interpréter face au pays aurait pu s'intituler *Mais n'te promène donc pas toute nue.*

Au prime abord, la vie privée de François IV cabotait au calme, mais une houle frisa la mer et devint tempête. Nous allons voir comment cela fut possible et tellement rentable pour les gazettes. La marquise de Pompatweet, sa compagne désignée, ne commettait point trop de bourdes comme lors de ses débuts fatigants, mais son statut n'existait toujours pas, même si elle paraissait avoir amadoué son rôle de Première Dame, une trouvaille ancienne du roi Giscard qui souhaitait que sa femme existât, à l'imitation de la cour de Washington, si moderne sous le règne de ce M. Kennedy qu'il adulait, et dont le portrait encadré ornait son bureau doré. De là datait cette tradition neuve chez nous, pas toujours heureuse, de Première Dame, pour humaniser le trône en dévoilant une vie de famille, et la banalité de ses problèmes. La marquise de Pompatweet assumait désormais sa place sans trop d'anicroches. Il y eut quelques maladresses mais véniellles, comme cette plainte qu'elle porta contre deux gazetiers qui avaient publié une biographie d'elle, *La Frondeuse*, où des révélations déplacées la heurtèrent, ainsi sa liaison supposée avec le général-baron de Vedjian ; même démentis, les ragots persistaient. Parfois, la marquise poussait Notre Souverain Béni à l'escapade, ce qui affolait les services du duc d'Évry, chargés de la sécurité. La marquise se rangea un soir au pied du perron, dans la cour du Château, François IV monta dans l'auto privée, à la vue de ses gendarmes, puis repartit bourgeoisement par la rue du Faubourg-Saint-Honoré. Même chose en fin de semaine, lorsque la marquise et le Monarque allaient au marché incognito, mais François IV était vite reconnu et se laissa prendre à partie devant l'étal du boucher par des chalands furieux de la fiscalité lourde qui les terrassait, son garde du corps dut le pousser prestement dans sa voiture banalisée. Au diable les escortes ! Le couple avait besoin de faire la queue chez le traiteur italien pour acheter des raviolis frais, ou un poulet rôti chez le volailler Roger.

Mis à part ces moments volés à la vie publique, la marquise de Pompatweet participa à l'Arbre de Noël du Château, s'amusa de la peluche géante du Lapin Crétin et s'affaira dans la salle des fêtes que remplissaient six cents enfants dont il fallut embrasser les plus mignons ou les plus grincheux ; ou bien elle inaugurait une fontaine à Chambly ; ou encore elle soutenait le Secours populaire auprès des jeunes défavorisés. À Oradour-sur-Glane elle avait déposé des fleurs sur les plaques des victimes. Elle portait une robe Dior pour recevoir le président germain à un dîner et courut soutenir les femmes violées de la forêt équatoriale.

Cette routine se brisa net.

Il y eut d'abord une alerte pendant les courtes vacances de l'été. Sa Majesté devait la rejoindre au Barceló Hydra Beach Resort de Thermisia, dans le Péloponnèse, mais il annula pour un déplacement en Arles rajouté d'urgence sur son agenda. Elle était rentrée seule s'enterrer à la Lanterne, la résidence officielle où il la rejoignit au mois d'août. Ce fut encore seule qu'elle se rendit au nord du Mali ; les enfants de Gao la reçurent avec des drapeaux où elle lut : « Bienvenue Maman ! » Des rumeurs couraient déjà sur les infidélités du Monarque. Arriva un fatal vendredi de janvier. La une d'un magazine à cancans montrait François IV avec un casque intégral sur un scooter, et ce titre explicite en lettres affolantes : *L'amour secret du président*, avec en haut et à droite la silhouette d'une actrice de cinématographe. La nouvelle se répandit dans le monde, fut colportée par le *Times*, *La Stampa*, *El Mundo*, le *New York Times*. On lut que le garde du corps, au matin, avait même monté des croissants. La photo accablante du motard avait été chipée à côté du Château, devant le numéro 20 de la rue du Cirque, à quelques immeubles de l'endroit où le futur Napoléon III rejoignait en 1848 sa maîtresse Harriet Howard, laquelle avait financé la campagne pour son élection et son installation dans ce Château mal chauffé et démeublé ; lui s'y rendait chaque soir. Et Sa Majesté, surprise sur le trottoir avec son casque de motard pour se dissimuler ? On ne savait pas. Quand on vit le visage non flouté de la nouvelle favorite on sut vite son nom, un peu connu dans le milieu du cinématographe,

Mademoiselle Julie. L'appartement où la retrouvait le Prince était prêté par une autre actrice dont le compagnon, M. Ferracci, avait été très proche d'un gang de Bastia et des cercles de jeu, ce qui pouvait être dangereux et fit frémir le duc d'Évry qui eut ce commentaire : « C'est un comportement d'adolescent attardé. » Quant au paparazzo, un jour qu'il traînait au café de Flore, il reconnut un policier en civil de la protection du Prince derrière Mademoiselle Julie, et les suivit pour aboutir rue du Cirque ; il se planqua sous une porte cochère, en face de l'immeuble litigieux, et attendit. Si un tueur s'était caché à sa place ? se demandèrent des ministres en tremblant. Pourquoi ces échappées à quelques mètres du Château protégé ? C'était une obsession de François IV. Avant même d'être élu il s'était renseigné auprès de la sécurité :

— Si je roule en scooter, que se passera-t-il ?

— Une voiture sera devant vous, une autre derrière, et des motos sur les côtés.

À peine avait-il emménagé au Château, il posa la même question : « Comment je sors sans qu'on me voie ? » Le Château l'étouffa tout de suite, il avait besoin d'air et n'en faisait qu'à sa tête, n'écoutait jamais ses conseillers, n'avait confiance qu'en lui-même. Pris sur le fait, il n'eut pas envie de nier mais se déroba en réclamant le respect de la vie privée. Il avait oublié l'une de ses plus fameuses phrases de campagne: «Moi Souverain, je ferai en sorte que mon comportement soit en chaque instant exemplaire.»

François-le-Présomptueux ne fut point exemplaire envers la marquise de Pompatweet. La nuit qui précéda la parution de l'explosif torchon, il la passa à se demander comment détourner ce mauvais coup; il avait le numéro en main, frais sorti de l'imprimerie avant sa mise en vente. Il jugea bon, pour en désamorcer l'effet, de prévenir la marquise qui piqua aussitôt une crise nerveuse et cassa une pendule. Il téléphona à Mme Taittinger, l'épouse du tripoteur Jouyet, pour l'appeler au secours à deux heures du matin. La marquise et le Monarque avaient passé chez Mme Jouyet la veillée de Noël, et une femme, pensait François IV, trouverait les mots. Puis il téléphona à son conseiller santé, le neurologue Lyon-Caen, qui avait participé à ce même réveillon. La marquise venait de faire un malaise quand ces deux discrets débarquèrent au Château à l'aube. La marquise de Pompatweet fut exfiltrée à l'hôpital de la Pitié-Salpêtrière sans témoins, Mme Taittinger l'y mena dans sa propre voiture; la marquise ouvrit juste un œil et réclama son sac qu'elle avait oublié. Un communiqué du Château, cinq jours plus tard, indiqua qu'elle avait subi un excès de fatigue et somnolait en cure de repos. Elle prolongea ces soins au pavillon de la Lanterne, dans le parc de Versailles, avec un médecin militaire pour veiller à ses promenades. L'étiquette existait encore, et elle entra en reine dans cette annexe du Château, à bord de sa Peugeot 508 que conduisait un chauffeur ; elle avait droit à son garde du corps et à quatre policiers dans une voiture suiveuse, sans oublier les deux motards qui lui ouvraient la route. La marquise se répandait en messages et en recevait de Sa Majesté. Elle était prête à pardonner l'écart du Monarque, disait-elle dans un premier temps, et elle préparait le voyage prévu aux Amériques tant le couple Obama la faisait rêver. Las ! elle dut se résigner à un autre départ et quand elle déjeuna avec François-le-Volage ce fut pour mettre au point l'inéluctable séparation que des juristes avaient ficelée. Puis il scellèrent un accord. L'annonce officielle eut lieu un samedi, jour où l'actualité politique était par tradition en veilleuse, mais elle refusa de s'y associer afin que le Prince assumât seul la décision. Ce qu'il fit au retour d'une entrevue avec le pape et avant de repartir chez le Grand Turc que personne ne voulait voir entrer dans l'Union des royaumes européens. Ce fut expédié. Une simple dépêche dans une agence suffit à légitimer la répudiation : « Je fais savoir que j'ai mis fin à la vie commune que je partageais avec la marquise de Pompatweet. » C'était sec et goujat. Aussitôt après, les données électroniques du site de la marquise furent effacées, et, par le truchement d'une fidèle, elle fit savoir que le procédé manquait d'élégance : la veille, une loi avait été votée pour instituer l'égalité entre les hommes et les femmes. Mme de Pompatweet chercha ensuite à récupérer les centaines de lettres de soutien qu'elle avait reçues au Château, et elle décolla pour l'Inde. Elle devait y représenter *Action contre la faim* ; le voyage était prévu depuis longtemps. Le premier jour elle inspecta un bidonville de Bombay où se promenaient des rats et des corbeaux gras, des enfants aux yeux cernés de mouches, avant un dîner de gala sur le thème de la malnutrition à l'hôtel Taj Mahal. Elle affronta des grappes de gazetiers auxquels elle fit peu de confidences. Son avocate avait prévenu : « Ma cliente ne joue pas la comédie et ne se livre à aucun chantage. Imaginer qu'elle puisse utiliser sa détresse pour nuire à François IV est contraire à sa personnalité, basée sur la franchise. » Puis elle repartit dans l'océan Indien, à l'île Maurice, avec deux amies. Il y eut des images de cette semaine. On les vit bronzer au soleil, et les palmiers, et leur bungalow du Paradis Hôtel, un cinq étoiles devant le lagon turquoise. La même gazette à cancans qui avait révélé les amours du Prince et de Mademoiselle Julie consacra sa une à ce séjour, avec un titre qui accrochait : *Au soleil, elle prépare sa revanche.*

Mademoiselle Julie avait dix ans de moins que la marquise de Pompatweet, laquelle, quand elle s'enamoura de François-le-Flambeur, avait dix ans de moins que l'archiduchesse des Charentes. Ainsi allait la vie chez les hommes vieillissants qui sentaient la rouille manger leurs os ; ils avaient l'impression rassurante de rajeunir au contact de compagnes plus jeunes que la précédente, et tant pis si la différence des âges se creusait chaque fois davantage. Mon prestige, pensaient-ils, contribue à ce qu'on oublie mes cheveux teints.

Nous comprîmes soudain les infimes mystères et les petits mensonges du Prince. Lorsque la marquise était en Grèce et qu'il ne la rejoignit point, il trouva l'excuse d'un déplacement officiel à Auch, où il parla d'économie, pour gagner en hélicoptère le château de Cadreils, à Berrac dans le Gers, il y déjeuna à la table des parents de Mademoiselle Julie qu'il connaissait en intime. Elle, il la rencontra encore en août, comme par hasard au marché de Tulle, et assista avec elle à un concert du festival de Brive-la-Gaillarde. Une autre fois, comme il passait dans sa maison de Mougins, il l'emmena dîner à la chandelle au *Saint-Pétersbourg*. Cela dura deux ans. Les portes claquaient. L'une entrait côté cour tandis que l'autre sortait côté jardin. L'amante se cachait dans l'armoire. On ne se voyait qu'en tapinois, sans souci des rumeurs qui s'amplifiaient dans les milieux artistes de la capitale.

Au soir de la révélation des turpitudes princières, Mademoiselle Julie n'assista point à la projection d'un film d'auteur qu'elle avait produit. Méfiante envers les zooms qu'elle devinait braqués en meute comme dans *La Dolce Vita*, elle se taisait et se terrait chez elle, au fond d'une impasse à l'est de Paris ; elle partageait un loft avec une cinéaste, pour y vivre en compagnie des deux enfants qu'elle avait eus d'un scénariste argentin. Là, il n'y avait pas de fenestrons mais un portrait de M. Samuel Beckett, sillonné de rides, pour rappeler le théâtre, et une peinture de la Vierge Marie dans la cuisine pour se souvenir qu'elle avait fréquenté une école catholique. Se cacher renforça sa réputation de femme indépendante qui se fichait bien du Château. Ce fut instantané : le grand public, qui ne l'avait jamais remarquée sur les écrans, posa sur elle mille questions que relayaient les gazettes légères ou sérieuses : *Julie assume son nouveau destin*, *Qui est-elle vraiment ? Elle bouleverse la vie du Souverain*, *Une passion française*, *La vraie Julie*,

Julie aime le métro, *Ma femme est une actrice*, *Julie la discrète*, *Julie la clandestine*, *Enquête sur le secret du Souverain*... Mademoiselle Julie était partout et on ne la voyait nulle part, mais on sut toute sa vie dans les recoins et cela devait l'épuiser.

Sa mère était antiquaire et son père professeur en chirurgie digestive qu'elle accompagnait, enfant, à l'Institut mutualiste Montsouris où il soignait les démunis ; Julie fut donc bercée au social dès son plus jeune âge. Elle entra au collège à l'avènement du roi Mitterrand et accrocha à son revers la main jaune de *Touche pas à mon pote*. Puis elle étudia le chant et la comédie, partit en Angleterre à dix-sept ans pour un stage à l'Actors Studio. Le baron Murat, un compagnon de ce père qui militait auprès des ministres de la Santé, dirigeait le théâtre Édouard VII : il l'encouragea et la guida car il lui savait du talent, aussi, pendant une bonne décennie elle enchaîna des rôles au cinématographe, puis, se passionnant pour tous les métiers de cet art, agréable à ses confrères autant qu'aux techniciens, elle se lança dans la production de films sans gros budget, de préférence slovènes, palestiniens ou chiliens. Engagée dans la politique active elle soutint la candidature de l'archiduchesse des Charentes lorsque celle-ci se dressa contre Nicolas-le-Vipérin. Sans se décourager jamais elle se rangea au côté d'un autre ami de son père, M. de la Corrèze, quand il se présenta à l'élection au Trône. Elle rencontra donc Notre Prochaine Majesté avant son sacre, rondouillard et boudiné dans un costume en prêt-à-porter, le lundi 3 octobre 2011, à l'invitation du vicomte Dray, lequel manœuvrait chez les artistes pour le Parti social ; au *Bistrot des cinéastes* elle participa à un débat des professionnels de la culture avant de suivre au plus près la campagne de François-le-Victorieux ; elle s'asseyait d'ordinaire au troisième rang dans les salles où l'orateur se produisait et le regardait avec des yeux de langouste.

Nicolas-le-Jaloux se moqua fort de son successeur qui avait osé le jeter à terre. Lui qui avait mis en scène sa vie privée en la mêlant étroitement aux affaires du royaume, s'esclaffait avec ses centurions aux mésaventures de François-le-Frivole, ce qui le distrayait de ses démêlés permanents avec des juges pugnaces, lesquels remuaient dix procès sans parvenir à l'atteindre. L'accusait-on ? L'ancien monarque poussait des cris de désolation ou de colère afin que l'opinion se retournât contre ses détracteurs. Il se comportait à la manière de ces chimpanzés qu'étudia M. l'Anthropologue Lenclud. Un chimpanzé se laissait bousculer par l'un de ses congénères plus costaud ; s'il n'y avait pas de témoin, chacun passait son chemin sans plus d'embrouille et le plus chétif s'écrasait. Lorsque la tribu était réunie, la chanson différait, et le chimpanzé bousculé poussait des cris stridents pour alerter ses amis, lesquels intervenaient en nombre pour l'aider à chasser l'intrus menaçant. Il suffisait donc de glapir très haut pour se dépêtrer d'un danger, voilà ce que pensaient les chimpanzés et Nicolas-le-Fourbe. Malheureusement les cris ne servaient point quand il s'agissait des maladies, et Nicolas-l'Hypocondriaque souffrait en silence de toutes celles qu'il n'avait pas mais qu'il redoutait, à l'exemple d'Argan dans *Le Malade imaginaire* (acte II, scène 3) : « Monsieur Purgon m'a dit de me promener le matin dans ma chambre douze allées et venues ; mais j'ai oublié de lui demander si c'est en long ou en large. » Il se livrait dès qu'il le pouvait à la course à pied ou à vélocipède. Le sport, qui lui permettait de mesurer son endurance, ne le protégeait guère contre les microbes de la vie publique. Nicolas-le-Bravache paniquait à l'idée de pénétrer dans une foule qui hurlait son nom, qui le chopait par une manche, le tirait, lui arrachait ses boutons de manchette, lui froissait la veste, lui triturait l'épaule, l'étranglait à demi, le griffait, l'étouffait ; au Salon de l'Agriculture un forcené lui avait bondi dessus pour attraper son visage et l'embrasser sur la joue. Quand il regagnait enfin sa berline après pareil supplice, masqué par les vitres teintées, il se frottait les mains nerveusement avec des lingettes désinfectantes. Il s'était vu souillé par des gènes mortifères, englouti, piétiné, dépecé ; à soixante ans il imaginait déjà les effets du vieillissement, la perte de sa mémoire, s'affolait d'un cancer surgi d'on ne savait où. Ses prédécesseurs sur le trône avaient payé de leur santé cette position vaniteuse. Le roi Pompidou enfla comme le Bibendum de chez Michelin, le roi Mitterrand n'était plus vers sa fin qu'un masque mortuaire d'imperator, un profil de monnaie, le roi Chirac perdait la boule et stagnait dans un fauteuil en se décomposant. Odieuses seringues ! Affreux hôpitaux ! Pour aggraver sa situation, Nicolas-le-Naufragé somatisait. Peu après que la reine Cécilia l'eut quitté, la séparation fut si raide qu'il en eut un phlegmon à la gorge et qu'il fallut l'opérer. Pourtant il entretenait sa carcasse et rejetait les tentations ; il ne buvait pas, ne fumait pas, mangeait peu et surtout pas de bœuf bourguignon ou d'œufs en meurette, à peine s'il avalait avec conscience, au cap Nègre, les spaghettis à la tomate de sa belle-mère.

Quand une foule tenue à distance l'acclamait, il y prenait toutefois un réel plaisir. Son parti lança-t-il une souscription pour rembourser ses dépassements financiers, il vint aussitôt discourir au siège et, là, une poignée de fervents se pressait contre les barrières en criant : « Nicolas ! Nicolas ! » Il en fut radieux mais, en plan rapproché sur les fenestrons, ces rares individus avaient l'air nombreux plus qu'en réalité, ainsi les figurants qui passent et repassent devant l'objectif et donnent au spectateur un effet de masse. À l'intérieur et à huis clos, Nicolas-le-Clinquant retrouva enfin une tribune où poser les paumes en se vantant, ce qui agaça en profondeur les ducs de Bordeaux et de Sablé : « Assez de catéchisme ! » dit l'un, « On n'a plus besoin d'un homme providentiel ! » dit l'autre. Les grognards grognaient, mais M. d'Hortefouille balança naturellement son encens en expliquant que l'argent récolté ne coûterait rien au contribuable, ce qui était faux puisque les dons étaient exemptés d'impôt à 66 %, et que le vulgaire allait payer de sa poche plus de sept millions d'euros sur les onze millions nécessaires pour éponger la dette. Infâme querelle de chiffres ! Nicolas-le Ténor poursuivit sa tournée qui se confondit à celle de son épouse, la comtesse Bruni, laquelle avait un disque à promouvoir où elle chantait la gloire de Nicolas-le-Caïd en des paroles pleines d'une poésie qui aurait fait rougir M. Baudelaire, tant elles étaient ciselées : « Mon Raymond c'est de la bombe atomique, quand il déboule, nom de nom, l'air en devient électrique. » En revanche, dans une autre chansonnette, elle traitait le Souverain régnant de pingouin, gros oiseau rond et maladroit en smoking qui dodelinait sur la glace : « Hé ! le pingouin, si un jour tu recroises mon chemin, je t'apprendrai, le pingouin, je t'apprendrai à faire le baisemain. » La comtesse songeait au jour où François IV quitta l'ancien monarque et la comtesse sur le perron du Château, qu'il ne descendit point pour les raccompagner vers leur voiture, mais Nicolas-le-Nauséeux avait au préalable passé au broyeur tout le courrier que son remplaçant avait reçu au Château depuis son élection jusqu'à son sacre. Qui d'entre eux deux gagnait le concours d'élégance ? On s'indigna des propos qui touchaient le pouvoir en son sommet, mais la comtesse Bruni dévia la critique lorsqu'on frisa le scandale, et mit courageusement sa charge en dehors du Prince, même si elle avait auparavant précisé : « Je ne me sens plus vraiment de gauche. » Si elle n'avait pas croisé le destin de son Raymond, c'est-à-dire Nicolas-l'Éclaté, elle aurait fait partie de la communauté des artistes qui pensaient dans l'autre sens, mais peu importait, Nicolas-l'Emphatique était vivifié par l'ode à sa gloire et la pochade contre son successeur. Il suivait la tournée de son épouse chanteresse à

Sainte-Maxime, à Courbevoie, à Béziers. Au Casino de Paris, comme il marchait après le récital vers le restaurant *Le Perroquet*, une petite cohorte de fidèles scanda son nom et il serra les mains tendues des frénétiques, transfiguré par son renom, car la plupart venaient pour l'apercevoir, lui, qui s'abritait en faux modeste derrière le lumineux talent de la comtesse et sa voix susurrée. Des couvertures de gazettes furent dédiées au couple déchu, qui devait livrer son intimité, et un fenestron nous montra les lieux emblématiques qu'ils avaient traversés, la rue Pierre-Guérin où ils habitaient un hôtel particulier, les appartements privés du Château, des réunions dites confidentielles ; voici la comtesse en robe de chambre qui regardait avec passion un match de foot comme le peuple, la voici encore touchant les cordes d'une guitare, ou bien Nicolas-l'Exorciste expliquant qu'il ne reviendrait jamais après sa défaite, ce que contrariaient les gazettes à sa solde qui écrivaient en lettres lumineuses : *Les coulisses d'un retour*, *Nicolas-l'Époustouflant part en duo à la reconquête de la France*, ou *De ville en ville, il rencontre les Français et teste sa popularité*...

D'un autre côté, faisant fi des outrances et des ordures lancées par la comtesse Bruni, comme Mazarin se moquant des mazarinades de la Fronde,

François IV se distrayait au spectacle de la gabegie installée chez ses adversaires. Les ducs de Meaux et de Sablé poursuivaient leurs haines et se piquaient l'un l'autre comme des frelons sans loi. Les efforts en sourdine de Nicolas-le-Fumeux semblaient dérisoires à Notre Majesté et il en riait fort. Il écoutait les incantations de Nicolas-l'Estampeur qui répétait : « Je ne peux intervenir que si tout s'effondre. » Et justement tout s'effondrait autour de lui, ses anciennes troupes débridées et coupées en tronçons, ses chefs rivaux, ses militants envolés ; sans oublier les procédures judiciaires qui le tachaient, même s'il n'était pas personnellement mis en cause, mais l'ensemble de son proche entourage. Quelquefois, à l'image des vagues qui se renouvellent sans se lasser, les juges venaient battre contre lui et le convoquaient, mais il considérait éternelle son impunité d'ancien monarque et était ulcéré par ces atteintes intolérables. Il détestait que la Justice l'interrogeât comme un malfrat pendant des heures dans un cabinet malcommode, ou de rester coincé de longues minutes dans un ascenseur qui menait à l'instruction, encadré par deux pandores gênés. Il proclamait toujours son innocence. Il prenait l'air ahuri de celui qui vient de découvrir des faits peu reluisants ; le trône n'était-il pas trop haut pour qu'on s'aperçût de telles bassesses ? Ses comparses avaient moins de chance ou moins de gueule, et la voyouterie les rattrapait.

Le cardinal de Guéant, qui fut le premier valet de chambre de Nicolas-le-Magnifique, au Château puis au ministère de la Police, pouvait par ricochet nuire à la probité de ce prince défait, car il lui avait été lié au point qu'on disait de lui : « Si son Maître lui demandait de fusiller un innocent, il le ferait. » Le cardinal effectuait ses missions sans rechigner, semblable à ce petit pluvian du Nil qui nettoie la mâchoire des crocodiles ; il creusait un tunnel là où son Maître avait percé un trou. Une perquisition dans ses bureaux des Champs-Élysées révéla cinq cent mille euros de factures en liquide. Les enquêteurs se crurent sur la piste de l'argent libyen offert à Nicolas-l'Éclatant, eh bien non, c'était le produit de la vente de deux petites croûtes d'un peintre d'Anvers peu prisé. De qui venait cette somme, virée de Malaisie ? D'un avocat de Djibouti, Mohamed Aref, spécialiste des circuits financiers arabes qui se révélait être un profond amateur des peintres flamands du XVIIe ; il était d'ailleurs prêt à les acheter dix fois leur valeur. Le cardinal avait un lourd carnet d'adresses louches. Y figurait Khaled Bugshan, richissime Saoudien qui nous aidait à vendre nos armes, le suivait une tripotée d'hommes d'affaires patibulaires, lesquels servaient d'intermédiaires avec ces pays angéliques que sont la Libye, la Syrie, le Tchad, le Gabon, le Rwanda, la Mauritanie, ces paradis où l'on s'affalait sur une chaise longue en buvant à la paille un cocktail givré. Les juges s'aperçurent à cette occasion que le cardinal voyageait beaucoup, en Guinée équatoriale, en Côte d'Ivoire, au Congo... Naturellement ces fouineurs de policiers lui demandèrent à quoi servaient les valises de billets qu'il recevait dans son ministère. C'était pour financer les frais d'enquête mais le cardinal, qui faisait peu d'enquêtes, en prélevait dix mille euros par mois pour s'offrir des bricoles, un réfrigérateur par exemple. Il payait surtout en liquide. « Je suis victime d'un lynchage ! » finit-il par crier.

Victimes, tous ces spadassins étaient à l'exemple de leur prince des victimes. Ainsi le vicomte Pérol, le second du cardinal au Château ; il conseillait Nicolas-l'Emprunté sur la finance, et celui-ci le nomma à la tête de la Caisse d'Épargne et de la Banque populaire réunies ; mais qui négociait la fusion de ces deux établissements ? Le vicomte Pérol. Il donnait donc son avis sur un groupe dont il était devenu entre-temps le patron, et cela s'appelait en droit une prise illégale d'intérêt. Sans décortiquer cette entourloupe, il fallait savoir que le vicomte était coriace et rusé ; il n’échappa point au tribunal.

Victime encore, Dame Balkany, duchesse consort de Levallois. Pour des histoires de basse police fiscale elle fut mise en garde à vue. Avec le duc son mari, elle aurait dissimulé une large partie de ses gains. Ils se seraient enrichis sur les marchés immobiliers de leur ville. Un complice repenti, après des vacances en prison, expliqua leur système impur qu’il savait du dedans. M. et Mme de Levallois n’étaient divorcés que pour les impôts, ensemble ils formaient un duo de brigands, le duc en arriviste, la duchesse en aventurière ; lui tonnait et gesticulait, elle tenait la caisse et calmait ses envolées. Ils mentaient ensemble. Leurs biens ? La maison de Giverny, ils l’avaient achetée avec un héritage à lui, la villa de Saint-Martin, ils l’avaient achetée avec un héritage à elle. Et encore, ces biens n’étaient pas à leurs noms. Ils en profitaient, voilà tout, entourés d’hommes de paille, de sociétés-écrans et de comptes à Singapour. Les inspecteurs du pôle financier vérifièrent de près. Le couple fatal était domicilié au moulin de Cossy, à Giverny, depuis trente ans. C’était le pays de Claude Monet, il sembla donc normal d’y trouver des toiles de Picasso, Miró, Dufy. Sur quatre hectares, la propriété pour laquelle ils déclaraient si peu, n'en ayant que l'usufruit, avait deux piscines, un court de tennis, un green de golf et treize cents mètres carrés habitables, dans le moulin restauré autrefois gracieusement par un architecte de Levallois. Dans le catalogue de leurs luxes, il y avait aussi la villa Pamplemousse, aux Caraïbes, bâtie pour que se prélassassent des Américains riches et gras qui goûtaient le tape-à-l'œil, sa piscine bleue sous les palmiers et ses soleils couchants sur la baie. Il y avait encore le riad Dar Gyucy, à Marrakech, payé six ans plus tôt à Genève pour cinq millions et demi d'euros, avec son hall de palace aux lustres géants en verroterie locale, des tableaux partout, d'immenses salons, un sous-sol où patientaient des victuailles dans des chambres froides, et une ribambelle de bouteilles rares. Les juges se passionnèrent pour cet inventaire et ces dépenses, et ils regardèrent à la loupe les millions de mètres carrés de bureaux et d'appartements chics construits à Levallois, sous le règne du duc et de la duchesse, par des sociétés qui leur appartenaient en sous-main.

Le duc, malgré ses protestations, eut son immunité de parlementaire levée, la duchesse fut libérée contre une caution d'un million d'euros. Leurs passeports furent confisqués et ils eurent l'interdiction de quitter le territoire national. On apprit au fil de l'enquête qu'un de leurs avocats se nommait Maître Claude, qu'il était l'associé de Nicolas-le-Cupide avec lequel il avait monté un cabinet. Ce juriste défendait le duché de Levallois depuis le début des années quatre-vingt. Il fut vite soupçonné d'avoir aidé le couple maudit à dissimuler une part de sa fortune. Ce cabinet respectable fut perquisitionné le 21 mai 2014 et Maître Claude mis en examen pour fraude fiscale. Le vent soufflait assez fort pour décorner un duc.

L'abbé Buisson était un petit homme effilé, nu de crâne et sans perruque, à mine de fouine, à physionomie d'esprit, qui était en plein ce qu'on appelait un faucon. Tous les vices combattaient en lui à qui en demeurerait le maître. Ils y faisaient un bruit et un combat continuel entre eux ; mais l'ambition était son dieu ; la perfidie son moyen. Il excellait en basses intrigues, il en vivait, il ne pouvait s'en passer, mais toujours avec un but où toutes ses démarches tendaient, avec une patience qui n'avait de terme que le succès. Il passait ainsi sa vie dans les sapes. Le mensonge le plus hardi lui était tourné en nature avec un air simple. Il avait de l'esprit, assez de lettres, d'histoire et de lecture, force envie de s'insinuer, mais tout cela gâté par une fumée de fausseté qui sortait malgré lui de tous ses pores.

Méchant d'ailleurs avec réflexion et par raisonnement, traître et ingrat, maître expert en compositions des plus grandes noirceurs, effronté à faire peur étant pris sur le fait, désirant tout, enviant tout, et voulant toutes les dépouilles. Tel fut le sage dont Nicolas-le-Sournois écouta les conseils rusés pendant nombre d'années. Il venait de découvrir ce mauvais génie à l'occasion d'une ultime perfidie que nous allons raconter ici.

Quand il conviait à sa table d'une brasserie de la porte de Saint-Cloud des gazetiers influents, devant un plateau de fruits de mer, l'abbé Buisson était souvent coupé par son téléphone. Toujours à sa table préférée, près d'une fenêtre et derrière un rideau, il prenait un air mi-amusé mi-railleur pour répondre au Monarque qu'il nommait de sobriquets ridicules, le Nain, le Petit, Talonnettes, Tête creuse ; tout cela pour indiquer sa supériorité et les faveurs dont il jouissait au Château sous Nicolas Ier. Cette proximité avec le Souverain d'alors avait valu à l'abbé Buisson un fenestron où il pouvait se répandre sur l'histoire de la monarchie, des contrats sans appel d'offres pour des sondages, l'occasion de pousser vers le pouvoir un troupeau de jeunes gens de la droite extrême, d'où venait l'abbé et où il avait pris de paranoïaques habitudes, comme celle de tout enregistrer pour tout archiver. À l'époque bénie de la gloire de Nicolas Ier il avait sa place à la table ovale du salon vert, au Château, où se réunissaient les principaux stratèges du Monarque et où se boutiquait sa politique. L'abbé parlait d'ordinaire en premier sur le thème du jour, avec un ton théâtral et des références historiques dont manquait Nicolas-l'Engourdi. Personne n'avait remarqué qu'auparavant, l'abbé Buisson s'arrêtait aux toilettes à mi-étage pour se laver les mains. En réalité il branchait un dictaphone qu'il fourrait dans sa poche, une manie de l'extrême droite autant que des staliniens qui raffolaient des archives. Il avait enregistré des années de conversations décousues et secrètes de l'ancien pouvoir. Un jour de 2014 on en retrouva des extraits sur des sites électroniques et dans des gazettes satiriques, comme ces bribes saisies naguère au pavillon de la Lanterne où l'on parlait de la menace des immigrés et de l'islam, des sujets en or pour l'abbé Buisson. La veille, Nicolas-le-Brillant avait rencontré le Premier ministre turc, lequel lui avait confié que les jeunes filles de son pays qui ne voulaient pas porter le voile partaient étudier chez les Étatsuniens. La comtesse Bruni était intervenue :

— Les Français, ça les concerne, tout ça ?

— Oui, oui, il y a la sirène de l'islam, dit un abbé Buisson assez agacé.

— Et puis l'immigration surtout, ajouta un autre convive.

— Mais ce qui les intéresse, c'est ce qui arrive dans leur jardin, ajouta la comtesse. Et est-ce que ça arrive dans leur jardin pour l'instant ?

— Ah, mais ça va arriver, certifiait Nicolas Ier. Il y a un million de personnes qui fuient la Libye.

— Non mais attends, dit encore la comtesse, suffit de les mettre en Italie.

— Oui, mais enfin, une fois qu'ils sont en Italie, c'est pareil, poursuivait le Monarque.

— On les envoie chez Berlu en Sardaigne ! dit en riant la comtesse.

Il fallut arrêter l'hémorragie des confidences volées et saisir la Justice. Quand il sut l'affreuse supercherie de son conseiller chéri, Nicolas-le-Tranchant n'eut qu'une parole mais décisive : « J'en ai connu, des trahisons, mais comme celle-là, rarement ! » Il en fut affecté mais ne devait point le montrer parce que les partis tentaient de se remettre en ordre pour affronter des élections municipales qui promettaient le pire. Si l'abbé Buisson avait raison ? Si le Front populiste de Mlle de Montretout les balayait tous ? Ils tremblaient mais se préparaient.

Ce fut à l'élection partielle de Brignoles, gros bourg du Var, que fut sonnée l'alerte. Le Front populiste de Mlle de Montretout y choisit un candidat d'allure jeune et proprette car elle entendait nettoyer le parti de son père des scories de l'ancien temps. Cela réussit. Aux villageois le candidat fit peur en agitant l'immigration galopante, la sécurité défaillante et l'Europe contraignante. Au premier tour de vote, le Parti social et ses alliés, qui n'avaient pas réussi à s'entendre, furent éliminés, et au second ce fut le Parti impérial du duc de Meaux, lequel rejeta la faute de son échec sur un gouvernement qui glorifiait des valeurs multiculturelles et massacrait l'enseignement de notre histoire. Lorsque les résultats se trouvèrent confirmés, on sut que le taux d'abstention s'élevait à 67 % de voix, ce qui sembla énorme. Pourquoi cette défection ? Pourquoi cette bouderie ? La candidate verte et vaincue l'expliqua : « J'ai distribué des tracts, j'ai beaucoup entendu dire que le changement promis tardait, que notre gouvernement privilégiait les mesurettes, qu'il pompait les classes moyennes sans limiter le salaire des patrons, contrairement à ce qui avait été dit en meeting. » Les retraites amincies et les impôts augmentés avaient détourné les électeurs du Parti social qui ne représentait plus la gauche dont ils avaient rêvé. Tout le monde râlait et se raidissait, des centres équestres trop taxés aux amateurs de bateaux de plaisance frappés par les hausses, et les routiers, et les parents d'élèves, et tout le monde. La contestation se généralisait en prenant des noms de basse-cour, d'abord *les pigeons*, entrepreneurs en haute technologie qui s'insurgeaient contre une fiscalité dévorante, puis *les poussins*, auto-entrepreneurs menacés, puis *les dindons*, hostiles à la réforme des rythmes scolaires, puis *les moutons* tondus par une augmentation de leurs cotisations, enfin *les cigognes* qui demandaient que les sages-femmes aient un statut à l'hôpital. Une succession de révoltes menaçait.

François-l'Immobile avait faux sur toute la ligne, et il passait pour avoir échoué en moins de deux années. Son Premier, le duc de Nantes, laissait ses ministres étaler leurs états d'âme car il ne les tenait pas ; le Monarque répétait ou faisait répéter que le chômage décroissait, mais les chômeurs ne s'en rendaient pas compte et des chiffres trafiqués ne les rassuraient pas ; il avait enterré la réforme des impôts ; il devenait irritable à force d'entendre qu'on le traitait de crétin ; les restructurations dans les entreprises se multipliaient, ce qui était une noble manière de dire : « Vous êtes virés ! » ; la mise en œuvre de la réforme scolaire s'avéra aberrante, ne tenant aucun compte des problèmes particuliers ; personne ne savait où François IV nous menait puisqu'il refusait de le dire, mais le savait-il lui-même ? Il paraissait s'accommoder de sa solitude. Une gazette titrait à son propos *Au bord du chaos*. Personne ne compatit vraiment lorsque, visitant nos troupes d'intervention en Centrafrique, où elles s'interposaient entre des chrétiens et des musulmans qui s'entretuaient avec conviction, Sa Majesté en escale à Bangui se recueillit devant des cercueils de soldats abattus dans une embuscade ; il fut menacé par des miliciens armés pendant cinq minutes avant de remonter dans son Falcon 7X. Cela ne fit trembler personne.

À trois jours de l'élection municipale, Nicolas-l'Échevelé rompit officiellement son silence, pour la première fois depuis son départ du Château. Il publia un texte vengeur dans une gazette à sa main afin de s'adresser au peuple en direct : « Je n'ai jamais demandé à être au-dessus des lois mais je ne peux accepter d'être en dessous de celles-ci. » Que se passait-il de si grave ? On avait foulé aux pieds des principes sacrés, avec une absence de scrupule sans précédent, la calomnie était devenue une méthode de gouvernement. Mais encore ? Les juges avaient autorisé qu'on écoutât l'ancien Souverain depuis des mois, qu'on notât ses conversations avec ses proches, ses amis, son avocat même puisqu'il était soupçonné dans maintes affaires. La Justice relayait le système de l'abbé Buisson qui avait fonctionné pendant des années. Des extraits avaient pu être lus sur un site électronique, mais alors, où en était le secret de l'instruction ? «Aujourd'hui, ajoutait Nicolas-le-Floué, toute personne qui me téléphone doit savoir qu'elle sera écoutée ! » Et il évoqua les mœurs de la police politique d'Allemagne de l'Est, la Stasi. En dénonçant à cette date l'acharnement de ses adversaires, coupables d'user de la Justice à leur guise pour le salir en l'accusant de trafic d'influence, Nicolas-le-Retors ne voulait-il pas revenir au premier plan, se faire remarquer et surtout se faire plaindre ? Dénoncer aussi brutalement un complot dont il serait la principale victime allait peut-être ressouder son camp si émietté, pensait-il. Il voulait en découdre avec le Parti social, qui refusa la joute, et l'élection dans les départements eut lieu à la date prévue.

Cette terrible échéance se préparait depuis de longues semaines. Pour les partisans qui allaient s'affronter sous l'œil du peuple, c'était un enjeu majeur : qui l'emportait risquait d'emporter le pays. Les influences devaient se redistribuer à cette occasion. Cadenassé au Château, François-le-Bel entrevoyait une débandade mais il s'en consolait par le seul raisonnement, car il avait appris chez les énarques que le pouvoir était toujours sanctionné dans ce genre d'élection intermédiaire. Déjà sous Charles Ier de Gaulle, qui fonda la cinquième dynastie, les communistes l'emportèrent à cause d'un malencontreux plan de redressement qui ne redressait que les portefeuilles populaires, puis il y eut un fort courant de gauche qui emporta de grandes villes, et devint majoritaire sous le roi Pompidou ; le Parti impérial ne retrouva des galons que sous la toute-puissance du Parti social. François-le-Prudent joua de ce savoir. Il gela ses mesures les moins comprises et ses réformes furent ajournées. « Rassemblez-vous ! rassemblez-vous ! » criaient ses aboyeurs, mais les alliés du Prince étaient turbulents, ils se divisaient en frondant comme ils en avaient l'habitude, puisqu'ils tenaient à exister au risque de la déroute. Ces dispersions et ces exigences hors de mise eurent lieu partout, mais ce fut à Paris qu'elles devinrent emblématiques.

Dans la capitale, les deux principaux partis se partageaient déjà les quartiers. Chacun avait élu ses champions et des soigneurs les entouraient. Ce fut une guerre d'images et de calculs qui dépassait le commun. La droite illuminée et la gauche tenace promettaient un duel féminin dans la boue. Mme de Prosciutto-Morizet, duchesse de Longjumeau, luttait pour le Parti impérial après avoir déserté son fief pour la capitale qui devait la hausser. Sur l'esplanade de Montmartre, tenant à deux mains le parapet du parking et regardant les toits gris de la ville, elle soupira : « À nous deux, Paris ! » au pied de la très blanche et très laide basilique du Sacré-Cœur, meringue boursouflée et sans grâce édifiée sur les cadavres de la Commune. Elle sentait monter en elle le sang bouillonnant de ses ancêtres Borgia, dont elle avait les mèches blondes et entortillées à la Botticelli. On lut qu'elle menait une *campagne à l'américaine*, laquelle fut initiée par Louis-Napoléon en 1848, qui mêlait une introuvable profession de foi à des chansons, des petits drapeaux et des colifichets à l'ombre du Grand Empereur ; le futur Napoléon III avait compris avant les autres que l'émotion primait. Bien sûr, la duchesse bataillait contre les dissidents de son propre camp qui la jalousaient et la chahutaient mais elle passa outre et changea d'apparence, remplaça sa natte à la tyrolienne par des cheveux relâchés, porta même un blouson de cuir et un jean repassé pour tirer sur une Marlboro entourée de clochards. Elle aspirait à la proximité et devait conquérir les quartiers populeux de l'Est et les bohèmes du centre, en outre des quartiers douillets de la droite habituelle. Elle rencontra des gardiens d'immeuble, des policiers en vadrouille, des éboueurs, des chauffeurs de taxi qu'elle faisait mine d'entendre.

Mme de Longjumeau découvrit le Paris des Parisiens. Elle osa des safaris de découverte vers les quartiers excentriques de la capitale, là où les trottoirs ne sont pas arrosés trois fois par jour comme ceux de l'avenue Montaigne, et elle en fut fort stupéfaite. Pince-à-linge sur le nez, elle fit de la propreté une cause qu'elle mêla à celle de la sécurité. Elle sourit cependant aux indigènes avec un air qui frisait la condescendance. Sa parfaite méconnaissance des problèmes humains lui permit d'envoyer quelques bourdes qui détonnèrent dans sa campagne. Une fois, elle consentit à visiter le métro, un peu comme un enfant découvre le parc zoologique pour frémir quand le lion ébouriffe sa crinière. Elle voulait voir de ses yeux ce moyen de locomotion si usité par les autochtones, lesquels étaient étrangement dépourvus de limousines et de chauffeurs à casquette. Remontant d'un wagon de la ligne 13, elle déclara que c'était un lieu anonyme et familier, avec un charme fou, et qu'on y faisait des rencontres incroyables, qu'on y vivait des instants de grâce. Jouant la proximité, Mme de Prosciutto-Morizet installait du rosé et des chips sur une table de camping, à même les places populeuses, et tentait de se vendre en lançant des propositions qui semblaient venues de la lune. Elle voulut transformer en piscine la station Arsenal, désaffectée depuis l'avant-guerre, mais ne comprit pas que le métro y passait encore, même s'il ne s'y arrêtait plus. Elle proposa que les autobus pussent rouler le soir, ce qu'ils faisaient pour la plupart. L'épouse officielle du pantelant roi Chirac, Dame Bernadette, vint la soutenir quand elle s'en alla admirer l'hôpital Trousseau tout en lâchant l'une ou l'autre de ces vacheries dont elle avait la pratique, et Nicolas-le-Considérable en personne s'assit au premier rang du gymnase Japy où la duchesse pérorait. Il était rasé, enfin, ce qui signifiait qu'il préparait sa rentrée politique ; dûment ovationné par le public, il vola la vedette à l'oratrice qu'il soutenait, parce qu'il voyait en elle un excellent moyen de courber les têtes insolentes de MM. Copé et Fillon, ducs de Meaux et de Sablé qui songeaient à l'affronter pour le Trône. La duchesse l'aida d'ailleurs de son mieux lors des dîners privés à trois mille euros ou des petits-déjeuners à mille euros seulement qu'elle donnait aux notables qui poussaient sa candidature. Elle leur expliquait qu'il était temps pour la jeune génération, dont elle faisait partie, d'évacuer les vieux briscards et de saisir leurs chaises. Un heureux souscripteur lui demanda :

— Et M. de Meaux ? Et M. de Sablé ?

— Je leur fais peur. Les croyez-vous capables de se qualifier pour le Château ? Les imaginez-vous en face de François-le-Roublard ? Et puis leurs images sont trop liées à celle de Nicolas-le-Rejeté.

Elle oubliait qu'elle avait été porte-parole de l'ancien monarque ; même oubli lorsqu'elle traitait sa rivale d'héritière désignée à la mairie par le duc de La Noé qui se retirait après deux mandats, et qu'elle avait secondé à la direction de la ville. Or, Mme de Prosciutto-Morizet était une héritière. Elle éprouvait du dedans et sans trembler les manigances de la politique, depuis son arrière-grand-père sénateur qui couvait une lignée agissante ; le duché de Longjumeau lui échut par connivence avec le roi Chirac qui en éloigna l'ancien édile dans des postes honorifiques. Sa rivale du moment la jugeait : « Elle est peut-être moderne par son style, mais elle emploie de vieilles méthodes. » En effet, Mme de Prosciutto-Morizet avait surnagé jusque-là grâce à un jeu de ruses, de contournements et de passe-droits ; si elle avait remplacé ses hauts talons par des ballerines, elle remplaçait de même son poudrier par un poignard.

En face, la candidate choisie par le Parti social, la baronne Hidalgo, regardait cette tornade et se fiait à ses dossiers. Fille d'Andalous immigrés, née à Cadix, elle œuvra à l'inspection du travail qui lui permit de rencontrer les démunis, et elle servit pendant treize ans M. de La Noé dans le rôle de première adjointe à la mairie, à quoi ce duc de Paris répliquait en lui confiant son pouvoir : « J'ai été longtemps secondé, maintenant je seconde », tant il se fiait à la baronne, d'abord hésitante et monocorde à la tribune, quand elle lisait son discours, puis, prenant de l'assurance et de la voix, elle improvisa sur les thèmes urbains avec assez de conviction et de précision. Dure au travail et joyeuse dans la vie, elle se révéla. Le comédien Alain de Lon, dont on savait pourtant les amitiés droitières, la louait : « Chez elle on sent l'Espagne ! » C'était exact, elle fonçait droit dans l'arène. Elle héritait, mais d'une capitale sans trop de dettes, à la fiscalité modérée et aux amples investissements qu'elle entendait poursuivre à l'exemple coruscant de M. de La Noé. Elle avait un programme. À l'inverse du roi Pompidou qui souhaitait défigurer Paris avec du béton sur les berges et une autoroute pour couvrir le canal Saint-Martin, elle réclamait la priorité aux piétons et aux vélos, de l'herbe, des arbres, voulait achever le tramway périphérique, prolonger le métro vers Saint-Ouen et Ivry, et, pourquoi pas, tendre un téléphérique entre les gares de Lyon et d'Austerlitz. Elle se demandait comment simplifier la vie des Parisiens encore vivants. Pour effrayer les plus nantis elle lança l'idée de logements sociaux devant le bois de Boulogne ; ce fut un tollé dans ce quartier où les associations de riverains ensablaient ce type de projet entre la porte Dauphine et la Muette, préférant un terrain vague au débarquement des sans-le-sou. « Bien joué ! » dit le duc de Meaux, un adversaire pourtant, lequel connaissait en expert les coups fourrés et les provocations réussies.

Le duc de Meaux fut élu dans son duché au premier tour et il triompha avec une fausse modestie qui faisait plaisir à voir, confirmant sa place de chef de l'opposition et se posant ainsi pour la prochaine élection au Trône. À Paris cela ballottait mais n'empêcha pas Mme de Longjumeau de plastronner, même si certains de ses fidèles murmuraient : « Elle n'est pas facile tous les jours. » Paris était une ville particulière et cela remontait à la guerre de Cent Ans lorsque le prévôt Étienne Marcel opposa ses marchands au Dauphin. Paris se révolta à plusieurs reprises contre les rois qui y avaient installé leur cour, de Henri III à Louis XVI, mais à cause de cette relation ambiguë la capitale enflammait les provinces qui détestaient les révolutions et se mobilisaient pour les contrer. Cette différence fondamentale exista fortement jusqu'à Charles Ier de Gaulle qui favorisa la promotion immobilière et chassa le populaire de la ville, laquelle se transforma en musée, en bureaux et en réserve pour les gens de finance. On vit renaître la divergence ancestrale lorsque la droite reprit ou conserva dès le premier tour de l'élection Troyes, Annecy, Montélimar ou Toulon. Au second tour le mouvement s'amplifia et le Parti social connut le désastre en perdant des dizaines de villes, sauf Paris qui consacra Mme Hidalgo comme duchesse de la cité. Le chômage, les impôts exagérés, des objectifs flous et jamais énoncés, voilà pourquoi le Parti impérial, installé dans l'opposition systématique, sortit vainqueur du combat et le duc de Meaux radieux et couronné puisque ses troupes ne pouvaient guère lui reprocher cette réussite, la première depuis tant d'années, car Nicolas Ier avait tout perdu en son temps.

Ce fut tout de même le duc de Bordeaux qui triompha sans trop le montrer ; il devançait M. de Meaux dans le cœur des partisans de son bord. On commença à parler de lui comme d'un homme envoyé par la providence, un recours pour qui briguait le Trône et pouvait en chasser François-le-Taiseux. Le duc ne pipait mot. Calfeutré dans son fief qu'il avait ranimé en vingt ans, sur le perron monumental du palais Rohan ou sur les quais nouveaux qu'il avait fait bâtir pour border la Garonne, il se satisfaisait d'abord du dernier palmarès qui plaçait Bordeaux en tête des villes où il faisait bon vivre. Tout lui souriait, après tant d'embardées, de déceptions et de brutalités qui l'envoyèrent méditer dans les neiges de Montréal avant qu'il retournât au pays, se consacrât à sa mairie et s'affirmât contre le Front populiste, lequel venait d'emporter quelques bourgades, en se posant çà et là par surprise, en s'implantant sur le terrain perdu par les partis traditionnels. À soixante-huit ans, le duc de Bordeaux était vaillant encore. Ses défauts étaient devenus des qualités. Il était distant, on le disait honnête ; il ne badigeonnait pas ses propos de promesses intenables. Ainsi fortifié, sans éclats, il s'efforçait à une certaine négligence :

— Avez-vous un projet parisien ? lui demandaient des gazetiers.

— Oui, aller voir ma fille.

— Savez-vous qu'on vous préfère à Nicolas-le-Revanchard ?

— Pour faire quoi ?

Au lendemain du bouleversement des municipales, le personnel politique se souvint de ses principes, qu'il n'était que le laquais des citoyens. Le duc de Bordeaux se sentait donc très humble, mais libre aussi, comme ceux qui sont revenus de tout, libre d'énoncer ses vérités sans souci de fâcher, libre d'ironiser, libre de s'amuser, libre de se laisser aller.

Il se rendit au comité stratégique des Impériaux, qu'il avait autrefois fondé et où il n'allait jamais, par fatigue des discours creux. Cette fois, rajeuni par son score, il affronta le duc de Meaux en lui posant des questions assassines sur les finances de leur organisation, et, surtout, à propos des fausses factures de la dernière campagne de Nicolas Ier, desquelles tartinait une gazette informée. Il y eut une rugueuse passe d'armes que balaya le duc de Meaux, abrité par sa victoire : « On a beaucoup exagéré le montant des sommes dépensées. » Il ne donna point d'autre explication et jeta en l'air des chiffres invérifiables.

Peu avant le printemps et ses bourgeons, manifester était à la mode. Les rues s'enfiévraient. C'étaient les intégristes qui huaient la voiture officielle de la duchesse Taubira, et bloquaient la circulation ; une bagarre éclatait au Châtelet entre supporteurs de football ; des postiers défilaient pour sauver leur travail, des chômeurs envahissaient le Carreau du Temple ; des Brésiliens se souvenaient en cortège de leur ancienne dictature ; la police débordée débusqua des braillards devant le centre culturel égyptien ; des militants pro-ukrainiens s'emparaient de l'esplanade de Beaubourg, des Frères musulmans se groupaient devant l'ambassade du Qatar. Une vingtaine d'extrémistes firent une démonstration minuscule mais raciste devant l'Hôtel de ville, ils brandirent des ananas sortis d'un sac pour railler les origines de la duchesse de Cayenne, mais ils furent vite circonscrits par des policiers qui, face à ce type d'énergumènes, avaient suivi des cours de psychiatrie ; Mme Bourges la bien nommée entama une grève de la faim dont personne n'eut cure pour réclamer le départ de Sa Majesté. Cette année de pagaille, les spécialistes de la Préfecture notèrent qu'il y eut dans la capitale un rassemblement ou un défilé toutes les deux heures. Le pavé chauffait.

Derrière ses hautes fenêtres du Château, François-le-Sourdingue contemplait sa pelouse, il n'entendait au loin que de vagues clameurs. Il sortait un peu sonné par la déroute de son armée, s'inquiétait d'abord de ses élus et de ses militants qui se raréfiaient, ayant perdu toute confiance, désemparés, orphelins presque, puis le Prince se reprit et, repoussant la réalité d'un geste, brusquant la fatalité, il entreprit de replâtrer son gouvernement qui n'avait su prévenir la dérouillée.

Après une longue hésitation, écoutant les uns et les autres, il démit le duc de Nantes pour le remplacer par celui d'Évry. Cela fit l'effet d'un coup de canon tiré de ses jardins. Il devait agir et cela l'insupportait. Choisir n'était pas dans sa nature. Il alla aux fenestrons et y parla tout encravaté de *nouvelle étape* et d'un *gouvernement de combat*, lequel se substituait à une équipe mollasse. Il semblait se résigner et avait expliqué à M. de Nantes que lui aussi était une pauvre victime des circonstances, qu'il ne l'avait pas voulu mais y était contraint par la voix dérangeante du peuple :

— Cher ami, j'ai résisté jusqu'à la dernière seconde.

— Moi je résiste encore, Sire, avait dit le duc de Nantes.

— Ça ne sert plus à rien, hélas !

— Je vais resserrer mon gouvernement...

— Vous allez l'étrangler !

— Mais alors ?

— Alors, très cher, votre départ est inéluctable.

— J'étais votre double, Sire !

— C'est à cause de cela que vous n'avez pu détourner de moi les colères, nous étions trop semblables, M. de Nantes, trop.

— Par qui diable allez-vous me remplacer, Sire ?

Ce fut par le duc d'Évry puisqu'il était aussi populaire qu'autoritaire, les deux qualités qui faisaient défaut au Prince : en bonne logique, la force de caractère de M. d'Évry devait rejaillir sur lui. L'équipe en effet allait être resserrée, cohérente et soudée autour du Premier des ministres, ce qui avouait que l'équipe en poste depuis deux ans était pléthorique, incohérente et divisée. La situation manquait de confort et la décision surprit l'aile gauche du Parti social, laquelle se méfiait du duc d'Évry : « La social-ploutocratie est en marche ! » En plus de ce virage annoncé à tribord, M. d'Évry ne cachait point son but ultime, conquérir le Château, mais il protesta de sa fidélité au Prince qui le crut à demi.

Le duc de Nantes n'avait aucune ambition et cela rassurait Notre Majesté ; ce n'était pas le cas du duc d'Évry, qu'il ne pouvait s'empêcher de considérer comme son rival. Excellent joueur d'échecs, celui-ci lorgnait depuis trente ans sur les attributs du Monarque et n'en faisait point mystère. Sous le règne précédent Nicolas Ier l'avait sollicité pour un ministère, ce qu'il avait repoussé par crainte d'être broyé dans la tempête, mais il se mesura en paroles avec ce prince en annonçant à ses amis : « Il ne serait pas absurde que ce fût le duc d'Évry qui succédât au duc de Neuilly », puisque Nicolas-le-Fiérot avait tenu le duché d'une autre ville de banlieue. Si ses camarades avaient ri de la plaisanterie, ils riaient moins en voyant cet homme déterminé poser ses valises à l'hôtel de Matignon, résidence ordinaire des Premiers et marchepied du Château. Quand on le vit en pleine lumière en haut du perron, tenant par la main sa compagne, une violoniste blonde en robe rouge, pour célébrer l'amitié franco-germaine, on comprit le sens de cette pose grâce au titre que soulignait la gazette, laquelle offrait une page à la photographie du couple : *Le Château, ils s'y voient déjà.*

Le duc et la duchesse Anne dérangeaient par leur langage vif. Lui faisait hurler l'aile gauche de son parti quand il affirmait que les Romanichels avaient vocation à rentrer en Roumanie ou que le nucléaire était une filière d'avenir ; elle, musicienne classique, s'entichait de variétés au point de diriger l'orchestre de M. Hallyday. Il était salué pour son omniprésence, elle était saluée à cause de lui. Elle avait modernisé son aspect et choisi ses cravates, il lui avait apporté sa notoriété et son métier la courtisait. À leur propos on se mit à évoquer une fois encore les Kennedy, comparaison dont ne bénéficièrent aucunement François IV et la marquise de Pompatweet, mais qui avait récemment servi pour Nicolas-l'Enflé et la comtesse Bruni. Le mariage d'un homme politique et d'une artiste payait toujours, et d'autant mieux qu'il permettait aux ménagères fleur bleue de se pâmer sur les images de leurs amours complices. La vie privée ne pouvait plus se cacher, mieux valait la mettre en scène. Lorsqu'une émission vedette d'un fenestron à la mode demanda au duc, sous les projecteurs, de réagir au sondage d'une gazette féminine selon lequel 20 % des femmes aimeraient vivre avec lui un amour torride, il répondit : « Je suis amoureux. » La duchesse Anne continua à recevoir leurs amis sur sa terrasse proche de la Bastille, pour parler d'art et de musique devant un poisson en papillote au lait de coco. On voyait souvent ensemble le duc d'Évry et la duchesse Anne dans des expositions ou au concert, de façon tout évidente entre la musicienne et le fils d'un peintre catalan qui dansait la sardane et avait arpenté le Montparnasse des années cinquante avec Giacometti et Alejo Carpentier.

Sa Majesté ne regretta point d'avoir nommé M. Valls, duc d'Évry, pour tenir les rênes de son gouvernement. Celui-ci pensait infléchir la ligne flottante d'une politique qui ménageait trop ceux qui demandaient des réformes hardies en économie et ceux qui privilégiaient les mesures sociales. François IV penchait de longue date pour les idées de M. d'Évry, c'était-à-dire que les citoyens produisissent plus et mieux avec moins. Le sommet de la compétition était atteint quand, sur des modèles proches de l'esclavage, les employés étaient le moins payés possible, durs à la tâche et capables de rivaliser avec des Bantous ou des Slovènes. Aussi les deux hommes proposaient-ils de tailler dans les dépenses publiques sans épargner les dépenses sociales, au lieu de tailler dans les niches fiscales des plus fortunés. Sa Majesté venait d'ailleurs d'inventer le *pacte de responsabilité*, ce qui, dépouillé du jargon technique et fleuri que François-le-Visionnaire appréciait pour tout brouiller dans l'entendement, signifiait en langue claire qu'il entendait alléger de trente milliards les charges des entreprises, en songeant aux plus grosses et productives ; cela revenait à payer un cadeau en échange de promesses, car le Directeur du Patronat s'engageait à embaucher un million de travailleurs ; le projet relevait du leurre, mais ce baron Gattaz, matois et courbé du dos, en couinait de joie : Sa Majesté, en fait, confortait la finance dont il avait prétendu se méfier ; il se déjugeait. Son programme ne devait plus changer de tout le règne, même si les riches devenaient plus riches et les pauvres plus pauvres, comme dans le restant du monde. Ce n'étaient pas les hommes qui allaient sauver l'économie mais l'économie qui à la saint-glinglin sauverait les hommes. François IV prétendait aimer les gens en les rapetissant à des pourcentages et à des chiffres ; en cela il n'avait pas changé.

Les barons principaux du Parti impérial étaient tout esbaudis et applaudissaient à ce programme qui ressemblait au leur, sauf Nicolas-le-Vulgaire, lequel affirmait que les opposants devaient s'opposer en tout, sans chercher à démêler le bon du mauvais. Il tempêtait contre ses lieutenants trop attendris par les dernières proclamations du Souverain : « François-le-Flou est carbonisé et voilà qu'ils le ressuscitent ! Quand je vois tous ces connards faire leur mijaurée, ça me rend malade. François IV, il ne faut surtout pas lui donner de l'air. Il faut le cogner tous les jours sur ce qui va mal aujourd'hui, plutôt que de lui faire crédit sur ce qu'il prétend vouloir faire demain ! »

Beaucoup d'affiliés du Parti social, au contraire des vœux du Monarque qu'ils peinaient à soutenir, s'étranglaient de colère. Des spécialistes de la gauche tapotèrent sur leurs calculettes pour s'apercevoir qu'avec un cinquième de la somme distribuée, concrètement, on pouvait créer deux cent mille places de crèche, soixante mille logements sociaux, donner une aide à trois cent mille personnes âgées qui vivotaient, et un minimum à cinq cent mille jeunes au brumeux avenir…

Le duc d'Évry débuta son éclatant ministère en subissant donc la méfiance et les râles de ses pairs, mais détourner la foudre du Souverain faisait partie de ses problèmes; celui-ci en avait l'esprit plus serein qu'à l'époque du duc de Nantes, et il s'en alla dans le Tarn, à Carmaux, le pays de M. Jaurès, père de l'unité sociale et fondateur de *L'Humanité*. François IV s'arrêta devant la statue du grand modèle, sur une place dépeuplée et encerclée de barrières où autrefois le tribun haranguait une foule acquise à ses vues si justes. Il déposa une gerbe, entouré de quelques habitants venus l'accueillir et qu'on laissa s'approcher de lui. Plus loin, quelques autres sifflaient le Monarque, ou bougonnaient entre eux: «Jaurès ne parlerait pas comme lui!» ou «Jaurès doit se retourner dans sa tombe!». Jaurès! Jaurès! François-le-Rassembleur s'imaginait son héritier, et il fit un discours dans une salle où il se rendit à pied, en serrant quelques mains mal tendues. Brossant un portrait de M. Jaurès, Sa Majesté fit son propre portrait. Il présenta l'homme de la gauche comme l'orateur qui s'adressait aux entrepreneurs; comme le patriote qui vantait la concurrence et la compétition; qui ne concevait pas l'amélioration sociale sans la création de richesses. Il parla à des étudiants et des lycéens qui l'applaudirent sagement mais sans flamme.

En écho, les parlementaires écoutaient le duc d'Évry à la tribune avec des humeurs grincheuses. Le duc les entretint du déficit de nos finances collectives avec une fougue qui ne remua pas grand monde, puis il leur annonça que nous devions économiser cinquante milliards d'euros en trois ans, alors les députés se rebiffèrent à la gauche de l'hémicycle où siégeaient ses troupes supposées. « C'est trop ! » dit l'un à son voisin. « On touche à notre modèle social ! » dit un autre à la cantonade. Cela fusait de tous les bancs. « Et la redistribution promise à mi-mandat par le Prince ? » cria un ronchon auquel un autre ronchon répliqua : « Elle va aux entreprises et pas aux ménages ! » Un autre résuma : « C'est une politique de droite qu'on veut nous faire avaler ! » Tandis que les élus les plus bouillants fourbissaient leur fronde, le duc d'Évry s'en moquait parce qu'il préférait dialoguer avec l'opinion, qui lui était favorable, au détriment de ces élus qu'on pouvait faire chanter à volonté parce qu'ils voulaient conserver leurs places numérotées sur les travées, et les émoluments qui allaient avec. Visage fermé sous cette bourrasque, le duc d'Évry résista. Il avait déjà constitué une équipe en un temps record ; après avoir évacué les collaborateurs du duc de Nantes retourné à Nantes, il plaça les siens à l'hôtel de Matignon. Au gouvernement, bien sûr, selon les souhaits de Sa Majesté qui adorait combiner les contraires pour, supposait-il, les neutraliser, le duc dut accepter la lourde présence de ministres trop à sa gauche, comme le connétable de Montebourg, mais il n'en souffla mot. Les événements devaient le servir plus tôt qu'espéré, et le grand ménage commença avec *l'affaire Morelle*.

Le conseiller Morelle avait la cinquantaine satisfaite. Il plaquait en arrière ses abondants cheveux couleur corbeau pour mieux dégager son haut front, comme si une cervelle démesurée s'y cachait, portait des sérieuses lunettes de myope cerclées finement de noir ; il avait des allures de dandy et s'aspergeait du Vétiver de Guerlain afin qu'on notât son passage dans les corridors ; sourcils, nez et museau tombaient vers le menton et lui donnaient l'air d'un aristocrate maussade et intrigant. Il se flattait de posséder une trentaine de paires de souliers de luxe qu'il confiait à un cireur professionnel qui occupait pour cette tâche un salon de l'hôtel de Marigny voisin, pour en assurer le brillant et le glaçage, lequel est un art car il faut habilement mêler de l'eau au cirage sans se tromper dans les proportions puis maîtriser le rythme du frottage, ce qui demandait un quart d'heure par soulier. Le conseiller Morelle mettait l'essentiel de son honneur dans le grand bureau d'angle qu'on lui avait attribué au Château, face aux jardins et tout proche de celui du Prince. Il disait : « Rien que la taille de mon bureau rend dingue ! » C'était l'ancienne chambre de Murat puis de l'impératrice Eugénie, le cabinet de travail du roi Giscard et du duc de Villepin. Il le fit moderniser, n'en gardant que le tapis et s'appropriant une table en inox, des fauteuils en cuir et une bibliothèque courbe, avec des toiles d'Alechinsky et de Hartung aux murs. Il y recevait des gazetiers choisis pour saisir l'air du temps qu'il restituait à Sa Majesté, souvent devant un vieux cognac venu des caves dont il célébrait l'âge et la robe. C'était un snob.

Le conseiller Morelle aimait le pouvoir d'une manière enfantine, se glorifiant d'être le seul de son rang à avoir deux chauffeurs qui se relayaient en permanence, exigeant qu'ils lui ouvrissent la portière avec l'apparat dû à la reine d'Angleterre, et il se servait souvent de sa voiture de fonction pour des usages privés. Il se vantait d'avoir soufflé au Prince quelques-unes de ses phrases les mieux troussées et les plus politiques ; cette prétention claironnée en faisait rire beaucoup. Une certaine arrogance dans son comportement lui avait valu l'inimitié des hauts fonctionnaires du Château, lesquels médisaient dans son dos et qu'il critiquait devant le Prince afin qu'il les chassât ; il triomphait quand l'un d'eux était mis à la porte. Au sommet, que pouvait-il craindre de grave, lui, l'oreille gauche du Monarque et l'ami de longue date du duc d'Évry qu'il avait proposé avec insistance pour qu'il remplaçât le duc de Nantes ? Eh bien il tomba d'un coup de son piédestal à la rue sombre.

Une gazette électronique fameuse publia une enquête pour démontrer la collusion entre le conseiller Morelle et l'industrie pharmaceutique, qu'il aurait privilégiée quand il appartenait à l'inspection qui contrôlait les médicaments. Échaudé par le précédent de M. Cahuzac, lequel traquait les fraudeurs de l'impôt en fraudant lui-même l'impôt, Sa Majesté eut aussitôt le terrible réflexe de chasser de son entourage et du palais ce conseiller peut-être indélicat, et de l'annoncer lui-même à ses sujets. Patatras ! M. Morelle se retrouva par terre, après avoir inventé deux ans plus tôt la formule du *royaume exemplaire*. Le conseiller se posa en bouc émissaire. Si on l'éloignait de ce pouvoir qu'il chérissait, c'était pour ses idées trop à gauche et ses doutes sur la nouvelle rigueur qui s'imposait. Quel salopiot avait ressorti cette vieille affaire, longtemps gardée au chaud, pour l'accabler ? Ils étaient nombreux à souhaiter sa chute. Des ministres importants le haïssaient. À la Santé, Mme Touraine pensait « Bon débarras ! » car elle le soupçonnait d'avoir multiplié dans les gazettes des échos qui lui étaient hostiles ; à l'Agriculture, M. Le Foll ne supportait plus ses leçons perpétuelles.

Après son départ bouclé, des proches le suivirent dans la disgrâce. Ce fut le connétable de Montebourg, pour avoir plaisanté sur Sa Majesté lors d'une fête arrosée ; d'autres de sa mouvance montèrent dans la même charrette. Ne resta plus au gouvernement, du côté gauche, que la duchesse Taubira qui servit de caution.

Nous avions dit plus haut que le Prince avait au Château, tout près de lui, deux conseillers qui devaient se compléter, l'un reniflant l'air du temps, l'autre donnant son avis sur la marche des finances. Le conseiller Morelle ayant été éliminé, seul le conseiller Macron demeurait en poste, ou mieux, il fut promu ministre et chargé de l'Économie. Si le réprouvé avait inspiré la démondialisation au connétable de Montebourg qu'il aidait à penser, le vainqueur prêchait la mondialisation comme l'équilibre obligé de notre monde nivelé. Tous deux étaient énarques, ce qui les éloignait des préoccupations des mortels. Cloisonnés frileusement, groupés entre eux et se reconnaissant comme les membres d'une secte, la plupart des énarques ne savaient guère écouter, ne l'ayant jamais appris. En costumes anthracite ou en jupes noires, ils portaient un uniforme et sortaient d'un moule unique. C'était une élite conformiste. À vingt-cinq ans ils rejoignaient un grand corps de l'État sans avoir jamais rien prouvé. Sous François IV, le Château et les cabinets ministériels en étaient surpeuplés.

Dans ce théâtre convenable autant que convenu, le conseiller Macron détonnait. Il participait avec distance à la sottise ambiante. Il avait le même sourire doux et carnassier, difficile à déchiffrer autrement que par le mariage de ces extrêmes, le même profil osseux de l'ingénieur et poète M. Boris Vian auquel il ressemblait au physique, quoique moins haut de taille. Par des subterfuges, il essayait de gommer sa froideur de banquier chez Rothschild en s'affichant avec son épouse, comme ses collègues qui espéraient monter de grade en adoucissant leur image, mais la Brigitte qu'il nous présenta dans les gazettes avait vingt ans de plus que lui. Le peuple féminin en fut attendri. On vit un couple joyeux sur le tapis rouge du Château lors de la visite du roi d'Espagne, puis en congé à Aix-en-Provence, puis à la terrasse d'un restaurant marocain du Touquet où ils avaient une villa à côté du fameux hôtel Westminster. Elle avait été son professeur de français et de théâtre à l'école La Providence d'Amiens; elle lisait en classe ses copies pour édifier les cancres; ils tombèrent amoureux. En vacances, le conseiller Macron jouait un peu au tennis où il se débrouillait honorablement, ne mettait jamais les pieds au casino, ni sur le champ de courses, ni en thalasso pour se forger un corps de Tarzan, mais il s'amusait sur la plage avec les petits-enfants de sa compagne, qui fut mariée et mère avant de le rencontrer. Était-ce à cause d'elle qu'il avait appris en classe que les mots ne collaient pas toujours aux choses, qu'il fallait tenir compte du relatif et de l'imperfection ? Il avançait que la politique sans la philosophie n'était qu'un cynisme, que la notion de démocratie était devenue vide puisque seuls ceux qui en manquaient la rêvaient. Un jour, il dialogua devant des lycéens avec ce cabotin de M. Luchini, ils citèrent longuement *Le Bateau ivre* de M. Rimbaud ; il évoquait aussi M. Aristote pour l'avoir lu. Le conseiller Macron luisait comme une étrange étoile dans la nuit d'un gouvernement d'incultes.

Il possédait également une pratique acquise à la banque. Comme il parlait couramment le germain et lisait M. Goethe dans le texte, son unique point commun avec le duc de Nantes, il alla en officiel outre-Rhin où il fut amicalement reçu. Était-ce pour sa thèse de philosophie jamais achevée sur *la notion d'intérêt général dans la philosophie allemande du XIXe siècle* ou parce qu'il voulait pousser les réformes à leur terme ? Réforme, le mot fut à l'époque employé à tout-va, tant qu'il finit par s'user à en perdre le sens. Autrefois une réforme invitait au changement afin que les hommes pussent mieux vivre, mais désormais le mot signifiait le contraire, un changement dans le sens de l'économie sans âme et sèche. Les travailleurs devaient marcher au sacrifice pour le dieu Moloch, comme en Germanie, le pays du *Métropolis* de M. Lang, quand les foules s'exaltaient à la commande et répondaient aux sifflets à vapeur de machines qu'actionnaient des hommes en complet-veston. Le conseiller Macron avait livré ses visions sur les ondes. Ne travailler que trente-cinq heures par semaine était aberrant, il fallait plus, payer les chômeurs coûtait trop, et pourquoi refuser le travail du dimanche ? On pouvait aisément remplacer les trajets dispendieux des chemins de fer par des autocars, les postiers inemployés pouvaient aider les auto-écoles, et pourquoi privilégier certaines professions par des règlements ? *Il fallait réformer*, disait-il sans cesse en regardant rosir Frau Merkel, réformer pour économiser, au détriment de syndicats exigeants et vieillots qui déclinaient. On appelait cette souplesse à sens unique du pragmatisme.

Le conseiller Macron traduisait en faits ce que le Souverain pensait sans oser le dire, et il avait le mérite de la clarté. Nul ne pouvait douter qu'il se situait à gauche mais une gauche jésuite où la ligne droite était dure à tenir. Il s'expliquait. S'il était entré chez Rothschild, c'était pour éviter de travailler dans un ministère sous le règne de Nicolas Ier. Dans la banque d'affaires, bien sûr, il fit des affaires et engrangea pendant trois ans de jolies sommes, mais après tout, le baron Emmanuelli, député des Landes, avait connu la même officine, et il s'écriait aujourd'hui : « Ça fait trente-cinq ans que ça me colle à la peau ! » ; on ne pouvait cependant point nier la sincérité de son engagement. La haute finance semblait donc compatible avec le Parti social pour peu qu'il fût moins social. Le conseiller en avait conservé un sérieux carnet d'adresses utiles, et une façon de discuter avec les patrons qui les revigorait. Berlin voulait imposer l'austérité ? Soit. M. Macron évoquait la figure de François III Mitterrand, enferré dans sa politique des débuts grâce à laquelle il trônait : pour s'intégrer à l'économie européenne, déjà, il avait nommé le baron Delors au Budget. Aussitôt les taxes augmentèrent, et les tarifs du gaz comme de l'électricité. Il fallut sacrifier le social et ponctionner soixante-cinq milliards de francs sur la consommation des ménages.

Il fallut aussi supprimer ce qui n'était point rentable dans l'immédiat, fermer les mines, tuer la sidérurgie et l'industrie navale. Il y eut vite deux millions de chômeurs mais la Bourse était florissante. Les financiers gagnaient.

Nicolas-le-Furtif s'était voué à l'argent et ne le dissimulait point, il s'était également voué à la revanche. Dès l'heure de son départ forcé du Château il avait songé jour et nuit à combattre par tous les moyens François-l'Usurpateur et à le défaire en duel singulier. Imaginez ces deux champions de petite taille, hors du peuple, solitaires, brutaux ; autour de ce très médiéval Jugement de Dieu, les manants n'existaient plus. L'ancien monarque devait discrètement renouveler ses écuyers et les sélectionner parmi les faciles à domestiquer, c'était-à-dire les écervelés. Il cajolait ses barons fidèles mais recevait à déjeuner les jeunes élus du Parti impérial pour les hypnotiser, les félicitant de leur parcours ou d'une intervention remarquée au fenestron. Une autre fois ce furent des sénateurs de son clan dont il ignorait jusque-là l'existence. À son bureau du 77 rue de Miromesnil il accueillait aussi des tendres militants qui suivaient les ducs de Meaux ou de Sablé afin de les éblouir par sa carrure internationale ; tous ressortaient de ces visites ébahis et touchés par la grâce. Nicolas-l'Histrion voyait même des indécis, ceux qui n'avaient pas foi en lui, pour les attirer et les convaincre.

Nicolas-le-Phare-de-la-Pensée avait été déconcerté par le si rapide effondrement de François IV, alors il jouait le recours mais ruminait à part lui en recrutant une garde rapprochée acquise à ses visées personnelles. Nombre de ces jeunots espéraient son retour et n'en faisaient point secret, d'autres émettaient encore des doutes : « Qu'est-ce qui nous prouve que Nicolas-le-Protecteur fera demain ce qu'il n'a pas fait hier ? » Hommes de peu de foi ! allez et distribuez la bonne parole de votre maître ! Les nouveaux convertis, aveuglés et sectaires, entonnaient des cantiques glorieux à la droite audacieuse et assumée.

L'ex-Majesté reçut aussi des joueurs de football, des industriels, des anciens chefs de gouvernement israélien, australien ou grand-breton, des économistes, des grands patrons, un paléontologue, un responsable des chemins de fer, MM. d'Ormesson ou Finkielkraut ; il recevait ceux qui ne l'avaient jamais insulté. Il montrait en vrac les milliers de cartes de vœux où des gens lui écrivaient : « On a peur. » La société se crispait et il maudissait en public ce désarroi qui devait le servir. Aux gazetiers complices, il prétendait ne vouloir que le bonheur serein de son couple ; le chaudron de la politique le révulsait. Revenir ? Il n'en avait vraiment aucune envie mais avait-il le choix ? Eh bien il se dévouerait le moment venu, à contrecœur, par devoir. Il préparait longuement cet instant souhaité, sous son portrait et celui de la comtesse Bruni dessiné par une espèce de Vasarely ; la comtesse venait de découvrir le vrai visage de la gauche et en était tout ébranlée. Si vous lui parliez du duc de Bordeaux, Nicolas-le-Perspicace souriait de cette notoriété soudaine, gonflée comme une baudruche par les sondages, un baromètre auquel il continuait à recourir, pourtant, pour mesurer ses chances. Il voulait qu'on le rappelât sur le trône mais son chemin fut semé d'embûches.

Les barons les plus influents étaient les plus rebelles du Parti impérial. Ils avaient réclamé un inventaire du règne de Nicolas Ier, qui n'en voulait pas, qui redoutait qu'on le discréditât par un bilan à charge. L'archidiacre Wauquiez usa de sa réputation de traître une fois encore et, pour se moquer, parla de ses réformettes. Ceux-là espéraient renverser la statue, ils n'avaient plus peur des menaces, se fatiguaient de s'entendre traiter de *cons* et le Parti de *ventilateur à merde*, selon le vocabulaire précieux de leur ancien chef. Le duc de Meaux présidait désormais le Parti, après une élection interne fort irrégulière, et il avait prévenu qu'il serait loyal et non vassal ; il se félicitait de la bonne santé de son organisation, revendiquait un afflux d'adhérents et se sentait prêt pour la reconquête du pouvoir. Il ajoutait : « Nous engrangeons des dons, nos dettes seront remboursées. » En fait il attendait son heure. Il y eut une ombre sur ce tableau merveilleux, une ombre qui mangea bientôt le tableau, envahit les conversations et les racontars ; une société nommée Bygmalion avait organisé les festivités de la dernière campagne dispendieuse de Nicolas Ier et semblait avoir exagéré dans de larges proportions. À un gazetier vétilleux qui questionna le duc de Meaux, celui-ci répondit avec calme qu'il ne pouvait donner des chiffres qu'il n'avait pas en tête. Pour son malheur, un autre avait les chiffres en tête. C'était le chevalier de Lavrilleux.

M. de Lavrilleux servait deux maîtres, le duc de Meaux d'abord dont il dirigea le cabinet, Nicolas-Fricotin ensuite dont il organisa la logistique de sa dernière campagne, sur laquelle il avait tous les chiffres en mémoire. Lui qui se plaisait dans les arrière-salles obscures, nous le découvrîmes un soir sur nos écrans, et des centaines de milliers de personnes surent son nom et ses méfaits. Il ressemblait à un apôtre souffrant, les yeux liquides, la barbe naissante, des petites lunettes sans monture apparente ; sa cravate lui étranglait le cou comme la corde des bourgeois de Calais venus offrir les clefs de la ville aux vainqueurs anglais. Il battit sa coulpe en direct, en face d'une gazetière médusée qui dira plus tard : « Je ne pouvais pas le lâcher des yeux, pour qu'il continue, qu'il ne s'effondre pas. » Il se mordait les lèvres et tremblait. Lui que ses comparses surnommaient Dark Vador à cause de sa noirceur et de son sang-froid, se confessa en public avec des sanglots à peine rentrés. Il avoua. Oui, il connaissait les vrais comptes de la campagne de Nicolas Ier, les quarante millions dépensés, les fausses factures sur de faux événements qui masquaient le coût réel ; dix-huit millions cinq cent cinquante-six mille et cent soixante-quinze euros en plus du plafond autorisé. M. de Lavrilleux prétendit que le duc de Meaux n'avait point trempé là-dedans, même si les dirigeants de Bygmalion étaient ses proches, ni le Prince d'alors, Nicolas-l'Arnaque qui ne regardait pas à la dépense, exigeait des prestations grandioses, décida les quarante-cinq meetings au Château, et les trois salles géantes, lesquelles faisaient ressembler sa tournée à celles des Rolling Stones, sans compter les milliers de drapeaux distribués au dernier moment, la loge de luxe du candidat qui se gavait de chocolat et de chouquettes, insonorisée, avec des doubles cloisons en bois bourrées de papier de verre, des portiques de sécurité, des gradins à gainer, des cantines pour le personnel nombreux. Rien n'était trop beau ni trop cher pour le confort d'un prince, mais, disait M. de Lavrilleux, il ne s'occupait pas de l'intendance.

Le chevalier contrit affirma que pas un sou ne rejoignit sa poche ; hélas, dans ce milieu où il naviguait on ne pardonnait pas à un fils de pauvre, puis il exposa ses biens, un studio meublé qu'il louait à Paris, un corps de ferme près de Saint-Quentin pour lequel il avait pris un crédit de vingt ans et qu'il retapait le week-end avec son père, garagiste à la retraite. Si on revenait au rôle de l'ancien monarque, qui l'avait décoré des insignes du mérite, il se montrait lucide : « Nicolas-le-Trublion, c'est le plus vivant de tous, mais à quoi ça sert ? Ça n'ira pas jusqu'à lui. Il n'y a jamais rien qui remonte jusqu'à lui. C'est nos métiers, non ? Il y aura un écho dans les gazettes où on pourra lire qu'il s'était senti trahi, que c'était quasiment un viol, ce Lavrilleux à qui il faisait confiance, qu'il est tombé de l'armoire. Une expression à la mode en ce moment, *tomber de l'armoire*. En fait, on ne tombe guère de haut. » Et puis, qu'allait-il fabriquer sur cette armoire ?

« Hein ? Quoi ? Qu'est-ce à dire ? Où suis-je tombé ? De quoi s'agit-il ? Que me veut-on ? Vous dites Bygmalion ? Qu'est-ce que c'est ? Un jouet, un fromage, un animal de compagnie, une pièce de théâtre ? Jamais entendu parler ! Jamais ! » Nicolas-l'Amnésique courait devant la rampe, et, très éclairé par la ligne d'ampoules fortes, il se composa un rôle tragique en protestant de son innocence, aidé en cela par son perroquet favori en costume multicolore de Sganarelle, M. d'Hortefouille, qui fit semblant de tomber des nues et buta exprès sur ce nom qu'on prononçait pour la première fois à ses oreilles : « *Pygmalion* ? Non, je ne vois pas... » et il chanta la tirade de son maître, prenant ainsi pour des imbéciles les gens qui avaient la mauvaise idée de l'écouter comme il paradait aux fenestrons. Les principaux barons du Parti impérial, pourtant, avaient entendu parler de Bygmalion, les uns pour s'en être courageusement détournés, les autres pour avoir cédé en y recourant à l'occasion de leurs campagnes électorales, puisqu'ils n'imaginaient pas refuser de travailler avec des amis de leur président, le duc de Meaux. Cette affaire de manipulations financières qui servait sa propre campagne, Nicolas-l'Étourdi l'écartait avec un fantastique aplomb ; cela consistait à nier les évidences qui le desservaient, mais d'autres affaires lui tombèrent en pluie fine sur la tête, dont il ne put aussi promptement se décharger sur des sous-fifres. Il joua d'un autre registre en déplaçant ses problèmes sur un plan politique, et il interpréta alors la grande scène de l'émotion quand il se découvrit en cible d'un complot monté pour le perdre. Les mêmes accusations déclenchaient le même refrain.

Le Trépidant Nicolas récita au débotté la première phrase du *Procès* de M. Kafka : « On avait sûrement calomnié Joseph K., car, sans avoir rien fait de mal, il fut arrêté un matin. » La comparaison s'arrêtait aussitôt parce que, contrairement à Joseph K., Nicolas S. savait ce qu'on lui voulait et pourquoi. Il avait été convoqué au petit matin dans les bureaux de l'Office central de lutte contre la corruption, à Nanterre. Il s'y rendit furibard avec ses trois officiers de sécurité qui restèrent à la porte. Son avocat et complice ? Il était en garde à vue et, pendant neuf heures, Notre Ex-Monarque se défendit seul. Il expliqua goguenard qu'il n'avait rien à cacher, mais à propos de quelle affaire ? Était-il assis sur cette chaise malcommode pour répondre de l'argent supposé qu'aurait offert le Bédouin pour sa campagne ? Pour des rétrocommissions très anciennes sur des ventes d'armes ? Pour les sondages commandés à l'abbé Buisson par le Château, sans appel d'offres ? Pour Bygmalion dont il avait profité ? Pas du tout. On l'accusait de trafic d'influence et de corruption active : il aurait tenté d'obtenir des informations sur les affaires qui le menaçaient auprès d'un haut magistrat que les dorures excitaient, en échange d'une intervention pour lui obtenir à Monaco un poste de prestige.

Les preuves ? Des enregistrements de la police. Nicolas-le-Patibulaire écouta ses propres conversations, mâchoire crispée, teint gris et regard noir. Pour lui, c'était une machination, d'ailleurs l'une de ses juges appartenait à un syndicat de gauche. Il entonna le grand air des conspirateurs : « Jamais, dit-il, un responsable politique n'a été aussi examiné par des magistrats et des policiers ! » Il rageait : « Ce que vous me reprochez ce sont des bruits de couloir ! Vous me prenez pour un con ? Je vous demande de bien réfléchir à qui je suis, à ma carrière. Si j'avais eu besoin d'informations, j'aurais téléphoné au procureur général, que j'ai nommé, ou au premier président que je connais depuis un quart de siècle ! » Cependant, il avait clairement affirmé à son avocat au sujet du haut magistrat mouchard : « Ben, t'inquiète pas, dis-lui. Appelle-le aujourd'hui en disant que je m'en occuperai, parce que je vais à Monaco et je verrai le prince. » Plus tard il se reprit : « La démarche ? Je ne la sentais pas. Ça n'est pas venu dans la conversation... »

Nicolas-le-Caïd se savait écouté. Depuis quelques mois, il téléphonait sur une autre ligne secrète, achetée par son avocat à Nice pour quarante euros en utilisant un nom d'emprunt, Paul Bismuth, qui donnait un style vaudevillesque à des conversations plus libres. Ils jouaient sur deux tons et sur deux lignes. Les enquêteurs avaient éventé la ruse, et ils récoltèrent une moisson d'informations très riche, des parlotes entre nos deux comploteurs, mais également avec des journalistes, des magistrats, d'autres avocats, des conseillers juridiques. Tout était consigné. Nicolas-le-Convict fut mis en examen. On le vit sur les fenestrons lancer sa contre-attaque. Il s'en prit aux juges qu'il nomma « les deux dames » et qui voulaient l'humilier. Il s'en prit à son successeur honni, lequel aurait utilisé la Justice afin de le plomber, mais François-le-Magnanime feignit de ne rien avoir entendu, même s'il ne perdit pas une seule des éructations de Nicolas-le-Hargneux : « Devais-je être emmené par cinq policiers dans un véhicule de police ? demandait le forcené. Est-il normal que je sois reçu par les juges à deux heures du matin ? Le duc de Villeneuve n'a pas fait une seconde de garde à vue ! Je ne suis pas un homme qui se décourage devant les vilenies et les manipulations ! Je regarde avec consternation l'état de la France ! »

L'entretien eut lieu dans son bureau, devant des gazetiers qui ne lui étaient point hostiles, car l'ancien monarque pensait que les fenestrons devaient venir à lui et diffuser ses propos à une heure de forte écoute. Nicolas-le-Cogneur avait choisi l'offensive, et d'accusé se fit accusateur, espérant que cette affaire de corruption se dégonflerait et permettrait d'oublier les manigances financières de Bygmalion. En fait, il ne parla qu'à ses partisans pour les mobiliser, puisque 65 % des Français ne voulaient point son retour. Le lendemain il était ravi de son discours : « Je suis seul, disait-il, avec le soutien des millions de gens qui sont scandalisés par ce qui s'est passé. » Il savait la fausseté de cette affirmation, et qu'une majorité du peuple pensait qu'il avait été traité comme n'importe quel justiciable. Peu importait. Il souriait devant son chiffre d'audience : « Plus de neuf millions de spectateurs ! C'est la preuve que j'intéresse les Français ! » Et il montrait des messages d'encouragement, des bouquets de fleurs et des boîtes de chocolats reçus de ses admirateurs.

Nicolas-le-Fanfaron profita des vacances judiciaires de l'été pour bronzer son portrait et étaler comme une crème solaire sa culture neuve et encyclopédique ; cela s'apparentait à une révision de dernière minute pour le baccalauréat, ou à un catalogue. Un Académicien en civil fut dépêché auprès de son transat afin de le cuisiner, pour une publication dans un magazine à gros tirage, illustré de tablotins en couleurs où on l'admirait en train de barboter dans les eaux turquoise du Var, au pied de l'escalier qui grimpait au castelet de sa belle-mère. Notre Majesté d'antan se vautrait désormais dans la littérature dont on le disait fort éloigné ; il expliqua les bienfaits des gros romans de Tolstoï qu'il avait lu en espagnol, ou d'Albert Cohen puisque son petit-fils se nommait Solal, comme l'un des personnages fétiches de cet écrivain ; il lança au petit bonheur les noms de Thomas Mann, de Zweig ou de Proust. Céline ? Oui, évidemment, mais reprenant à sa sauce un poncif fatigant, il ajouta pour plaire à tout le monde : « Je ne suis pas sûr que j'aurais aimé passer mes vacances avec lui. » Il était vrai qu'on imaginait mal Céline au bord de la piscine du cap Nègre en train d'avaler des spaghettis ; de quoi auraient-ils pu parler, Nicolas-le-Savant et lui ? Des Romanichels ? Comme toujours incorrigible, Nicolas-le-Grandiose ne parlait que de soi, mais les gens dont il réclamait les suffrages, eux, demandaient qu'on leur parlât de leur sort.

Un *démagogue*, selon le dictionnaire, est quelqu'un qui flatte les masses pour gagner et exploiter leur faveur. Au début de son huitième chapitre de *Humain, trop humain*, sous-titré « Un livre dédié aux esprits libres» et publié en 1878 à la mémoire de M. Voltaire, le perspicace M. Nietzsche écrivait en déclinant cette perverse notion : «Le caractère démagogique et le dessein d'agir sur les masses sont actuellement communs à tous les partis politiques ; tous sont dans la nécessité, en vue dudit dessein, de transformer leurs principes en grandes niaiseries à la fresque et de les peindre ainsi sur les murailles.» Plus loin il ajoutait : «Il faut plus que jamais qu'il soit permis à quelques-uns de se retirer de la politique et de marcher un peu de côté : c'est où les pousse, eux aussi, le plaisir d'être maître de soi, et il peut y avoir aussi une petite fierté à se taire quand trop ou seulement beaucoup parlent.» Si tous les partis tombaient dans le travers énoncé par M. Nietzsche, fallait-il demeurer muet face au groupe qui fondait en entier sa marche sur la démagogie, le Front populiste de Mlle de Montretout ? La fille avait repris la boutique que le patriarche avait fondée mais qu'on semblait maintenir en quarantaine comme un lépreux. La fille voulait ripoliner la façade afin qu'elle fût présentable, c'est-à-dire semblable en propreté aux autres façades des commerces politiques. La fille louchait sur le pouvoir, pas le père, qui n'entendait que ferrailler et provoquer pour son plaisir. Ce clivage de famille apparut au sein de cette organisation qui ameutait un public rajeuni, né bien après la guerre d'Algérie et goûtant peu les blagues rances d'un fondateur vénéré jusque-là mais approuvé de loin. Jean-Marie de Montretout, duc de La Trinité, ne voyait pas ce tournant et poursuivait des facéties et des provocations que seuls les chenus savouraient en souvenir du maréchal Pétain ou du général Massu. La rénovation que lui opposait sa fille s'installait sans vacarme sous des falbalas patriotes et bien élevés. Le fond du propos persistait, hardiment xénophobe, et sous ce maquillage Mlle de Montretout claironnait son goût du pouvoir, aussi voulait-elle une organisation lisse, bien peignée, sans outrances ordurières, et cela n'allait pas de soi, tant les vieux réflexes sur lesquels reposait le Front populiste étaient collants. Même un allié possible pour constituer un groupe d'anti-européens, lord Farage le Grand-Breton, qui haïssait les immigrés venus manger le porridge des Londoniens, avait taxé le Front d'antisémitisme viscéral et cela lui donnait la nausée ; ce parti de l'ordre, disait-il, semait le désordre.

On rencontra des jeunes en accord avec le discours sans nuances et facile à recracher des populistes nouveaux ; il donnait des recettes simplistes à nos malheurs contemporains. Aux élections européennes, où l'on vota peu, il y en avait 7 % pour soutenir Mlle de Montretout qui leur donnait de la confiance et de l'espoir. M. de Bay, un chevalier récemment nommé à la cour de Montretout, avouait à cette occasion que les jeunes avaient un grand mérite : ils étaient malléables et prenaient la forme qu'on leur donnait. Eh oui, étudiants ou apprentis plombiers, ils n'aimaient point les étrangers mais le disaient surtout entre eux ou avec cette courtoisie obligée qui se lisait sur leurs visages. Mlle de Montretout manquait de gens de vingt ans investis et instruits, alors on retrouvait les plus convaincus dans les provinces, avec une chance de grimper dans la hiérarchie. « C'est un investissement », expliquait M. de Bay qui gardait l'œil sur eux. L'image en devenait plus fraîche.

Derrière l'image il fallait encore brosser les troupes. Les jeunes du Front rencontrèrent leurs collègues autrichiens, dont le chef, Herr Mölzer, considérait l'Union des royaumes d'Europe comme un *conglomérat de nègres*, et où ils causèrent en extase avec des radicaux flamands ou suédois qui furent invités à Paris, pour défiler devant la statue dorée de Jeanne d'Arc à cheval. Ces jeunes, qui saluaient le nationalisme fougueux du tsar Vladimir, se rendirent également en Crimée, afin d'observer le rattachement illégal de cette région à la Sainte Russie, puis projetèrent un voyage d'étude en

Uruguay où ils devaient visiter les colonies allemandes qui accueillirent des nazis au lendemain de la Seconde Guerre mondiale. D'autres mouvements exacerbés se rattachaient au Front populiste, comme le droitissime Bloc identitaire qui regroupait les fils de Clovis et de ce Charles Martel qui assomma les musulmans, et ils disaient : « Mon drapeau, c'est ma couleur de peau ! » D'autres encore se joignirent à la manifestation « *Jour de colère* », *dies irae* en latin, où l'on cria « Les juifs dehors ! », un slogan qu'on n'avait plus entendu depuis l'occupation des Germains.

Voyant la réalité du Front populiste, de nouveaux adhérents perdirent la foi. Vincent, de Carcassonne, venait de chez les Impériaux qu'il ne sentait plus assez dynamiques, et il franchit la porte d'une permanence du Front où, sitôt encarté, on le nomma directeur de campagne de la candidate locale, bien esseulée, si esseulée même qu'il fallut racler large auprès des électeurs pour lui obtenir des signatures, un ivrogne, une vieille dame qui ne comprenait rien mais dont on sortit le chien. Vincent de Carcassonne se lamentait d'un tel amateurisme mais, quand il se rendit aux réunions, il n'entendit que des propos d'un racisme dégoulinant qui lui porta le cœur aux lèvres, malgré la mise en garde de l'orateur : « Vous pouvez penser ce que vous

voulez mais ne le dites pas quand il y a du monde. »
Mlle de Montretout, pour enrayer la fuite de ses plus récents soldats, composa une liste d'indésirables. Un conseiller général fut exclu parce qu'on le voyait faire le salut nazi sur une photographie malencontreusement publiée, même chose pour Axel le jour de son anniversaire devant cent cinquante personnes. Anne-Sophie, la militante qui avait comparé la duchesse Taubira à une guenon en disant qu'elle préférait la voir dans un arbre plutôt qu'au gouvernement, fut pareillement mise à pied. À Gisors, on éloigna un candidat emprisonné pour avoir menacé sa compagne de mort, et à Strasbourg, un autre qui réclamait des chiens d'attaque pour les vigiles, parce que les chihuahuas ne mordaient pas assez fort les fesses des délinquants arabes.

Malgré ces épurations montées en spectacle, la cour de Montretout ne sentait pas le parfum des fleurs sauvages mais celui plus fangeux d'un cul-de-basse-fosse. Afin de se présenter aussi normal que les autres partis appelés à gouverner, le Front populiste gardait à domicile ses excessifs et ses escrocs. Il fallait seulement que cela ne transpirât point au grand jour. Quand Mlle de Montretout envisageait une tournée internationale pour se donner du volume, elle évoquait la Chine, l'Afrique, les sables du Maghreb ou une rencontre avec le tsar Vladimir ; cette dernière visite fut préparée par son conseiller spécial, le vidame de Chauprade qui disposait de réseaux en Sainte Russie. Ce M. de Chauprade se présentait comme conférencier et professeur de renommée mondiale, mais on s'aperçut que sa chaire de géopolitique n'existait pas et qu'il avait été congédié de l'École de guerre à cause de ses positions complotistes sur les attentats du 11 Septembre : il avançait que les Américains auraient eux-mêmes détruit les tours jumelles de New York. Ce fut sans doute par son entremise que le tsar Vladimir accepta de prêter au Front neuf millions d'euros qui firent jaser. Autrefois le Kremlin finançait le Parti communiste français, il agissait de même avec ses nouveaux adeptes en incitant la First Czech-Russian Bank de M. Popov à accorder cette somme ; Mlle de Montretout se rendit à Moscou où elle se lia avec M. Babakov, interdit de séjour dans l'Union des royaumes européens, lequel se chargeait d'ordinaire de la coopération avec des organisations russes à l'étranger ; puis elle fut reçue par le tsar en personne.

Autre proche de Mademoiselle, l'affairiste Chatillon exerçait désormais à la tête d'une société de communication qui fit soudain ressembler le Front populiste au Parti impérial de Bygmalion ; M. Chatillon était une espèce de M. de Lavrilleux qui n'aurait pas avoué, mais fut néanmoins accusé par la Justice pour «escroquerie en bande organisée» car il fournissait du matériel électoral obligatoire aux candidats, péniblement racolés, auxquels cela coûtait douze mille huit cents euros pour des affiches en couleurs et des tracts sous-traités en Roumanie mais surfacturés en France. Ce M. Chatillon avait des cheveux noirs gominés et ratissés en arrière, à la façon des années trente où il semblait être resté. Il fut naguère le *líder máximo* d'un groupuscule d'extrême droite à l'emblème du rat noir, dont la principale action était de bastonner les groupuscules d'extrême gauche qui se risquaient à la faculté d'Assas. Ce compagnon d'université de Mlle de Montretout grimpa à ses côtés jusqu'à l'état-major du Front, mais en anonyme ; il y organisa ce qu'on nomma les réseaux noirs. L'homme était lié à Assad-aux-mains-rouges pour qui il créa le site du ministère du Tourisme syrien, lié aussi avec les inénarrables antisémites Soral et Dieudonné qu'il guida en Libye et en Syrie. M. Chatillon sévissait également à Rome avec des néofascistes de sa connaissance.

Ses mauvaises fréquentations et ses ordinaires malversations, qui l'apparentaient aux pratiques en cours dans tous les partis, ne contrariaient point Mlle de Montretout, laquelle feignait de les ignorer, mais chacun regardait la moindre élection à venir avec effroi ; allait-elle encore engranger des voix et combien ? Les gazettes emboîtaient avec complaisance son pas martial et diffusaient ses discours sommaires, dépourvus de vrai talent oratoire. Le Parti populiste faisait trembler, avec sa poignée de municipalités, ses deux sénateurs et ses deux députés. Il s'établissait sur les peurs et les colères en créant l'affolement. Il aimait cette misère dont il profitait. Les populistes s'intéressaient aux invisibles, aux oubliés, aux isolés des banlieues et des champs. Ils chassaient dans ces cités ravagées qui voisinaient le château de Chantilly, ou dans ces cantons sans industries de l'Aisne, entre les champs de betteraves et les cimetières militaires. Bien des militants du Parti impérial se fondaient à ce courant populiste, de la Saône à la Marne et jusqu'au nez de la Bretagne, même si à Nevers, l'une des colistières en lice pour la mairie se découvrait sur les écrans à côté d'un étendard à croix gammée. À Saint-Malo on commençait à regarder bizarrement la petite mosquée en se lamentant sur le nombre croissant des cambriolages.

Le père Philippot avait le cauteleux d'un homme de religion ; il était le moine façonnier de cette progression dans les esprits. C'était un vampire. Après avoir papillonné chez les nationaux de partout pour défendre les visages pâles, il avait planté ses canines dans le cou glamoureux et molletonné de Mlle de Montretout, qui en fut chavirée. Dès lors le père Philippot figura en un temps record comme le numéro deux des populistes, confesseur et guide pour l'idéologie savamment bricolée de gauche et de droite, agitée en cocktail ; il bousculait par ses phrases tricolores les thèses dangereuses qui suintaient des débordements paternels, reléguant le créateur du Parti, le poussant à la retraite. On eût dit que le père Philippot préparait sous les voûtes de son monastère de puissants philtres où se mélangeaient une infusion de simples et de la bile de crapaud, une potion pour unir les extrêmes et les mieux faire avaler au populaire. Le séminaire qui forma ce défroqué s'appelait l'ENA, puisqu'il en sortit dans la promotion Filochard, avant de s'introduire dans l'inspection de l'Administration où, tout jeune, il officiait en politique sous un pseudonyme protecteur. Sans hausser le ton, sans sacrifier au moindre contrepet, il réclamait de sa voix posée qu'on redressât le pays et qu'on sortît de la monnaie européenne qui, loin de lier plusieurs nations, les asservissait à ses lois financières. Il aimait les frontières et entendait les barbeler, afin de nous épargner le flux inévitable des étrangers qui souillaient nos saintes habitudes avec des mœurs nouvelles et des exigences maladives. Il semblait s'exprimer sur l'essentiel, ce fut du moins ce qu'il professait, partout disponible pour réciter son catéchisme, réussissant à ce qu'on l'interviewât dix-huit fois en un mois, de jour, de nuit, sautant d'un plateau à l'autre, se dédoublant sans fatigue devant micros et caméras, si artisanales fussent-elles. Son visage rond attirait la lumière. Ses idées carrées se camouflaient dans la pénombre. Selon lui, les pays devaient se rétrécir et s'enfermer. La planète était ouverte à tous les vents mais chacun réclamait son enclos solitaire, comme les Écossais, les Catalans, les Basques. Le père Philippot ressemblait en cela aux enfants qui, organisant leur campement avec des draps et des cotillons sous la table de la salle à manger, en interdisaient l'accès aux adultes.

Jalousé par les lieutenants de Mlle de Montretout à cause de son ascension et de ses diplômes, le père Philippot s'en moquait. D'ailleurs, il n'avait pas de nerfs. Au congrès de son parti, à Lyon, il n'obtint par acclamation des militants que la quatrième place ; la nièce de Mademoiselle lui chipait la première mais il s'en félicita, et comme elle appartenait au clan des Montretout il dit en souriant de ses lèvres minces : « Son nom lui a donné un coup de pouce. » Par provocation, il cassa le moral des vétérans populistes en allant déposer des fleurs sur la tombe de

Charles Ier de Gaulle, à Colombey. Ceux qui avaient scandé *Algérie française* détestaient ce général, et les anciens collabos qui survivaient le haïssaient pour son opposition à M. Pétain. M. Philippot n'en avait cure. Il alla se joindre au pèlerinage avec quelques jeunes acquis à sa cause, dont une jeune fille en minijupe et hauts talons qui dérapa dans la gadoue du cimetière en serrant contre elle son sac Lacoste tricolore. Lorsque son image et son nom figurèrent à la une d'une gazette de racontars, où on le voyait à Vienne, en week-end avec son mignon, il n'eut pas la moindre humeur ; plus tard il traîna devant un tribunal cette publication, non pour sa révélation des mœurs d'un dirigeant populiste, mais pour combattre « l'américanisation de la presse française ». On sut à cette occasion, et aussi par un livre d'enquêtes, que le Front populiste comportait une proportion d'homosexuels équivalente à celle de la population ; certains comprirent alors pourquoi Mlle de Montretout n'avait point appelé à manifester contre le mariage pour tous. Les mauvais esprits affirmèrent que Mademoiselle était sous l'influence nuisible du père Philippot, et que ce dernier calculait son avenir. On les surprit ensemble en train de patiner, au marché de Noël des Champs-Élysées.

François IV ne s'inquiétait pas outre mesure de la percée du Front populiste ; il se concentrait sur ses chiffres et ses courbes qui ne s'infléchissaient point, et il pensait qu'à force de les regarder elles finiraient par bouger dans le bon sens, selon une recette d'autopersuasion qui ressemblait aux incantations magiques des marabouts. Le Prince rêvait souvent aux taux de chômage fort bas de la Germanie qu'on citait en modèle, et il enviait Frau Merkel en oubliant les réalités que quelques-uns lui posaient sous les yeux : il y avait là-bas plus de deux millions de personnes qui travaillaient pour moins de cinq euros de l'heure et ne vivaient qu'à peine.

— Mais la ministre du Travail des Germains s'est félicitée que plus d'un million de gens aient retrouvé un emploi, rétorquait le Prince. Ce n'est pas ce qui compte ?

— Certes, Votre Pertinence, mais je vous disais que les emplois à plein temps étaient rares...

— Parce que le travail est plus souple que chez nous !

— Certes, Votre Luminosité, mais les bas salaires gagnent du terrain. En un an, l'emploi à temps partiel des Germains a bondi de 7 %, notamment dans les hôpitaux où des infirmières doivent trouver un second travail...

— Je sais, mais je sais aussi que leurs chiffres du chômage sont plus bas que les nôtres !

Notre Pittoresque Monarque ne voulait rien entendre qui pût le troubler. Il avait perdu en route les conseillers qui le tiraient vers sa gauche et il ne s'indignait plus des salaires misérables. Il n'écoutait même plus son modèle, le cardinal de Mazarin, qui écrivait : « Recrute tes conseillers de manière que leurs tempéraments s'équilibrent ; il est rarissime d'en trouver un de naturellement équilibré. Choisis un placide et un passionné, un doux et un colérique... C'est la meilleure façon d'être bien conseillé. » Au début tout avait semblé fonctionner ainsi, mais aujourd'hui Notre Souverain se tournait résolument vers sa droite ; ce penchant qu'il avait toujours eu se voyait à l'évidence. Il en était là de ses cogitations quand il bénéficia d'une malfaisante diversion et le peuple oublia un temps les défauts de sa politique pour s'ébahir des failles de sa conduite privée : la marquise de Pompatweet tentait d'assassiner sa réputation dans un livre méchant ; pendant un instant, ses déboires personnels effacèrent ses manques. Cela tomba sans prévenir, comme la foudre sur un chêne.

Il n'y avait pas eu de signe avant-coureur ni d'indubitables présages à lire dans le ciel, la marquise répudiée semblait avoir retrouvé les joies ordinaires ; elle faisait ses emplettes, achetait des gâteaux dans sa pâtisserie préférée de la rue Saint-Charles, croisait avec émotion les enfants de son quartier sur le chemin de l'école, redevenait une ménagère contemplant béatement le linge qui tournait dans le tambour de sa machine à laver, payait elle-même le plein de sa Mégane pour se tasser dans les embouteillages. Une vie sans grand relief, comme avant, à un détail près : elle écrivait un livre pour témoigner et exposer comment François-le-Flambeur lui avait tout volé et comment il l'avait ridiculisée au regard du monde. Elle avait son titre, *Merci pour ce moment*, la phrase par laquelle François-l'Élégant avait conclu leur première coquinerie, lorsqu'il vivait encore avec l'archiduchesse des Charentes que la marquise ne supporta jamais. Elle raconta leur vie commune et comment au Château elle s'était détricotée. L'attentat fut délibéré et soigneusement mijoté. Un éditeur fut déniché par de malins intermédiaires ; c'était un homme discret, peu accoutumé à publier ce genre de littérature mondaine. Le silence fut complet pendant les huit mois d'écriture. Pour conserver le secret de la gestation, l'éditeur offrit à la marquise un ordinateur non connecté aux réseaux, et elle communiquait ses chapitres tous les dix jours sur une clef électronique. L'éditeur lui conseilla d'écrire au présent pour donner de la vitesse à son récit et pointa quelques brouillardeuses digressions qui en tachaient l'ensemble. L'imprimeur était à Leipzig, loin des curieux, et il sortit deux cent mille exemplaires qui figurèrent en librairie comme par effraction. La marquise prévint Sa Majesté qu'il allait recevoir un coup à l'estomac, et des chauffeurs mandatés en récupérèrent à son intention un volume au centre de stockage. En trente-six heures tout était vendu de cette première fournée, et on dut en tirer trois cent mille autres exemplaires. Des lecteurs dormaient devant les échoppes pour être certains d'acquérir l'œuvre à vingt euros de la marquise ; ils se pourléchaient par avance du croustillant des faits, espérant mieux connaître enfin le véritable caractère de leur monarque.

Par une banale dramaturgie de séparation, il était nécessaire de lancer des javelots pour atteindre le goujat en plein cœur. Ce fut réussi et Nicolas-l'Oublieux ne le cachait pas à ses fidèles : « Jusqu'où est-il descendu ! On n'a jamais vu un tel niveau d'abaissement de la fonction monarchique ! » Ce qui marqua le plus François-le-Roublard dans le flot des griefs de la marquise ce fut qu'il appelât les pauvres, selon elle, des *sans-dents*. Lui qui passait son temps à biaiser, il fut obligé de répondre tant le mot fit florès. Accablé au-dehors par des ennemis irrités, qui se jouaient de son impuissance qu'ils voyaient sans ressource, il se trouvait sans secours, sans ministres, pour les avoir faits par goût et par fantaisie, et par le fatal orgueil de les avoir voulu et cru former lui-même : déchiré au-dedans par une catastrophe des plus intimes et des plus poignantes, sans consolation de personne, en proie à sa propre faiblesse, il fut obligé de se défendre clairement ; cette clarté n'était pas dans ses mœurs et il affectait en toute occasion le flou, ce que précisait le libelle de la marquise : « Les mots, les paroles n'ont aucune valeur pour lui. » Elle le montra au Château comme enflé de lui-même : « Je l'ai vu se déshumaniser, dit-elle, sous le poids des responsabilités, et être gagné par l'ivresse des puissants, se prendre pour un seigneur. » Elle le montra cassant, cherchant à s'isoler. Un jour d'autrefois, elle l'avait invité à Noël chez ses modestes parents, il en ressortit en disant : « Sont pas jojos, les Pompatweet ! » Elle mit plusieurs années, semblait-il, à en être blessée, et s'expliquait à la page 229 de son brûlot : « Il s'est présenté comme l'homme qui n'aime pas les riches. En réalité, Notre Souverain n'aime pas les pauvres. Lui, l'homme de gauche, dit en privé les *sans-dents*, très fier de ce trait d'humour. » François-l'Atterré mit une semaine à répliquer dans une gazette : « Cette attaque sur les plus démunis, je l'ai vécue comme un coup porté à ma vie tout entière. Je n'ai jamais pensé qu'à représenter ceux qui souffrent. Vous croyez que j'ai oublié d'où je viens ? » Et il évoqua ses grands-pères, le tailleur savoyard et l'instituteur du Nord ; il ajoutait : « Je n'ai jamais triché, ni cherché à faire croire que j'étais quelqu'un d'autre que ce que je suis. »

Justement. Personne ne savait qui il était et les gens mouraient d'envie d'en savoir plus ; voilà pourquoi on se précipita sur le libelle de la marquise. Avec le mot sur les *sans-dents*, le mal était fait qui résumait le livre, et cela entraîna un certain discrédit du Souverain. Des extrémistes de droite hurlaient qu'il méprisait le peuple : « Mieux vaut être sans dents que sans couilles ! » Des extrémistes de l'autre rive reprenaient leur complainte : « Chômeurs stigmatisés, salariés maltraités, pauvres insultés, paysans sacrifiés, retraités délaissés, ensemble nous allons retrouver du mordant. »

Et si le déballage de la marquise se prolongeait ? Elle avait tout noté de son passage au Château sur un calepin noir qui ne la quittait jamais ; à côté de ses impressions elle y avait transcrit des conversations. Quelle sournoiserie pouvait-elle encore servir à un public glouton ? Quelles horreurs ? La marquise n'étant plus tenue par aucun protocole, ses esclandres finissaient dans les feuilles les mieux ragoteuses, comme ce soir où elle rencontra au Banana Café une ancienne amie qui avait passé des vacances avec elle à l'île Maurice mais l'avait désavouée après son livre ; elle la gifla, la griffa, lui arracha des cheveux en prévenant : « Je vais te détruire ! » Qui allait-elle persécuter ? Elle voyait des traîtres partout, et d'abord chez ces courtisans flagorneurs qui la fuyaient désormais. Le Monarque dut mettre en place une cellule chargée de surveiller les faits et les gestes de la marquise, même lorsqu'elle partit signer son affreux ouvrage dans une librairie de Piccadilly, parce qu'elle était devenue une vedette chez les Grands-Bretons.

Quand un événement lui tordait les entrailles, le Prince savait encaisser ; il ne montrait jamais rien de ses sentiments, il passait à la godille entre les tourments privés ou publics qu'il entremêlait. Dans un même temps il accordait des gardes du corps à Mademoiselle Julie parce qu'il redoutait les débordements de la marquise de Pompatweet, et il tempêtait contre cet idiot de vicomte Thévenoud dont il ordonna la démission du Parti social et de son poste au Tourisme. Le vicomte, procureur teigneux de M. Cahuzac, ci-devant duc de Villeneuve, qui lui avait assené des sermons enflammés sur la morale des politiques, devint le héros d'une farce piteuse. M. Thévenoud ne payait pas ses impôts, ni ses loyers, ni son gaz, ni son électricité, ni aucune facture. Il s'en expliqua. Il souffrait atrocement d'une phobie administrative qui lui interdisait de payer ce qu'il devait. Il ne travailla plus à la Commission des finances du Parlement mais retrouva son siège de député, le numéro 321 tout en haut de l'hémicycle, chez les non-inscrits, à côté de la baronne Andrieux condamnée pour détournement de fonds publics. Face aux regards fuyants ou épouvantés de ses pairs, il osa poser en victime. Ce qui empêcha l'affaire de se développer, ce fut son ridicule. Il y eut plus grave pendant l'automne de cette même année, à Sivens, dans la nuit du dimanche 25 octobre.

Un escadron de gendarmes était arrivé la veille dans la forêt et s'installa à une quarantaine de mètres des manifestants écologistes réunis autour de feux, qu'ils essayèrent de dénombrer avec leurs jumelles à vision nocturne. L'atmosphère se tendit. Les gendarmes repérés supportèrent les insultes et les jets de pierres sans répliquer. Quand les manifestants se levèrent pour s'approcher d'eux, ils leur envoyèrent des jets de lacrymogènes. Un gradé, sans trop hésiter, tira même une grenade offensive au-dessus d'un grillage sur un groupe qu'il jugea agressif. L'un des militants tomba et les autres s'égaillèrent. Touché dans le dos par l'explosion, l'homme à terre était mort sur le coup. Peu après, son corps fut évacué dans le noir avec une discrétion toute policière. C'était un botaniste de vingt et un ans qui s'appelait Rémi Fraisse et voulait préserver la nature. Il protestait contre les travaux d'un barrage sur un affluent du Tarn, lequel menaçait d'inonder plusieurs hectares de bonne terre, c'était-à-dire une centaine d'espèces animales protégées et trois cent cinquante-cinq sortes de plantes ; cette retenue d'eau permettait à quelques gros producteurs de maïs d'irriguer leurs cultures voraces. Des travaux avaient commencé, la forêt saccagée se réduisait maintenant à un bosquet ; il y avait un remblai à la place des joncs et des hautes herbes, une piste boueuse pour les engins du chantier, des fossés, un bâtiment préfabriqué pour les terrassiers. Dès que la mort de Rémi Fraisse fut confirmée, des lycéens défilèrent en cortège entre les places de la Nation et d'Italie, à Paris ; des tracts avaient circulé. « Les forces de l'ordre n'aiment pas les jeunes ! » L'université de Rennes II ferma ses portes. Des étudiants se regroupaient à Toulouse, à Lyon, à Tours ; vingt lycées parisiens furent bloqués, d'autres dans la banlieue nord. À Sivens, les opposants au barrage organisèrent leur campement avec des rondins, des branchages, des tentes, des cabanes en torchis ou des fourgons : « On ne bougera pas car on est là pour faire bouger ! » Des platanes renversés et des clous semés sur les routes fortifiaient ce retranchement.

Chaque manifestation pacifique se transformait en affrontement violent, c'était la loi du genre que personne ne pouvait éviter. François-l'Hésitant redoutait cette situation, avec les jeunes comme avec les paysans, et son gouvernement pataugeait, l'enquête sur la mort de Rémi Fraisse traînait ; le ministre de l'Intérieur, pour oser un geste apaisant, se contenta d'interdire aux militaires les grenades offensives. La pagaille durait. L'entrée des lycées parisiens était barrée de poubelles et de barrières de chantier. Des petites unités très mobiles et masquées de foulards se jetèrent violemment sur les policiers qui bouclaient les rues de Nantes, où le très contesté nouvel aéroport de Notre-Dame-des-Landes posait un semblable problème depuis déjà quarante ans ; plus petit que l'ancien, posé sur une nappe de brouillard, il allait esquinter comme à Sivens une zone dite humide et souleva très tôt une contestation du même acabit : « C'est le moment de dénoncer les grands projets inutiles et la répression organisée par l'État ! » Les cris étaient partout semblables. On vit un sit-in pacifique au pied de la tour Eiffel et des rassemblements sauvages comme devant la préfecture de Loire-Atlantique où les affrontements durèrent de longues heures ; bouteilles d'acide et pavés volèrent dans un nuage de gaz asphyxiants. On releva des blessés, on interpella des cagoulés venus exprès pour en découdre. Même chose à Toulouse dans des rues étroites qui n'étaient plus respirables, entre des vitrines brisées et des poubelles en flammes.

Face au drame de Sivens, le parti officiel des écologistes serra les rangs et retrouva brièvement une unité, afin de récupérer l'émotion en leur faveur, et ils parlèrent d'une seule voix, sembla-t-il, eux qui avaient pour profession l'émiettement de leurs mille opinions contraires qui les divisaient en courants prompts à la chamaillerie. Leurs querelles internes, incessantes, remontaient dans leurs discours, mais on vit que l'écologie restait l'apanage des adeptes du terrain, qui tiraient leur nom des zones à défendre, les ZAD, et qu'on nomma les zadistes, comme à Notre-Dame-des-Landes ou à Sivens, désormais à Roybon, dans l'Isère, où ils contrarièrent par leur présence furieuse la construction d'un village de vacances qui devait détruire la forêt de Champaran. Ces anarchistes naturels voulaient rester anonymes et se méfiaient des gazetiers ; ils voulaient ne plus dépendre du marché, piocher à leur guise, inventer des potagers biologiques, planter du blé ancien ou des groseillers. Poètes, musiciens, artistes, ils campaient à Sivens pour lutter contre le vieux monde et ses projets néfastes. Notre temps était cousu avec des pans entiers des temps anciens, comme une espèce de pièce sur un pantalon. Barbus hirsutes en treillis ou parkas et peaux de bique, filles en robes gitanes, les images s'embrouillaient. Le début des années soixante-dix revenait sous nos yeux ahuris. C'était l'époque où une gazette underground, *Actuel*, consacra un numéro entier à la défense de notre terre, mais, comme le mot *écologie* était inconnu du grand nombre, dut titrer *Beuark !* au-dessus de deux bonshommes recroquevillés sur le capot d'une voiture immergée dans une mer de déchets. Ces années lointaines avaient sans doute plus de fraîcheur, une énergie neuve et guillerette, mais la jeunesse d'aujourd'hui prenait le témoin que lui tendait la jeunesse d'hier.

Le Prince avait observé que lorsqu'un événement s'évanouissait dans les gazettes, il disparaissait. Les publicistes étaient avides de nouveautés, et une mode pouvait avantageusement remplacer une guerre, ou vice versa, car l'actualité, comme son nom l'indiquait, devait se renouveler sans cesse ; les indignations s'usaient et risquaient de lasser, parce que la notion de public visait à remplacer celle de citoyen. La victime de Sivens enterrée, on passa à un autre sujet et on oublia les zadistes qui n'existaient plus qu'en fond sonore. Lycéens et étudiants reprirent leurs cours faute d'une organisation pour orchestrer leurs actions, et on se mit à parler de nos glorieuses aventures militaires. Des avions d'attaque étaient basés en Jordanie et aux Émirats, prêts à frapper l'odieux État islamique d'Irak qui égorgeait. Au nord du Tchad et du Niger, nos hélicoptères frappaient les terroristes qui peuplaient le Sahel et s'y éparpillaient. Nos bateaux-espions tournaient en mer Noire pour surveiller les Russes du tsar Vladimir. Partout où il décelait une menace, François-le-Guerrier déployait ses troupes, comme s'il avait un million d'hommes à sa disposition. Le Prince tentait d'ennoblir son image avec peu de moyens. On apprit qu'au début de notre intervention au Mali les militaires manquaient d'eau, de chaussures et de tentes climatisées ; ils se déshydrataient au soleil. D'autres attendaient d'être payés. Foin des jérémiades ! François-le-Bouillant devait flatter sans en avoir l'air un retour de l'esprit cocardier en Europe, pour ne point le laisser à d'autres. Il bombait le torse mais, à dire vrai, les grands problèmes de la planète le retenaient moins que la cuisine politique à laquelle il avait voué son existence, et, lorsqu'il était seul devant les glaces du Château, il focalisait son attention sur les menées de Nicolas-l'Embrouille qu'il espérait affronter à la prochaine élection au Trône, laquelle approchait. Le peuple rejetait ce jeu d'échecs et se démobilisait, mais Notre Monarque et son prédécesseur, dissimulés derrière leurs paravents, rêvaient à cette confrontation. Il faudra présenter ce duel comme une évidence, disaient-ils, et au dernier moment ; aussi fourbissaient-ils dès maintenant leurs stratégies et leurs armes.

Les deux candidats au sommet, choisis par eux-mêmes, s'observaient avec une nervosité cachée, François-le-Parano accusait les espions de son adversaire d'avoir pris et diffusé des images volées à l'intérieur du Château qui le montraient dans le jardin avec Mademoiselle Julie ; par soupçon, il changea des gardes et du personnel demeuré trop longtemps dans la place. Nicolas-Pipeau trépignait de son côté en accusant un cabinet noir de le traquer afin qu'il trébuchât avant l'échéance. Lui voulait-on du mal ? Mais oui, car malgré de flatteux sondages ses favoris n'avaient point obtenu les postes les plus imposants du Sénat, lequel venait de repasser à droite après un court intermède. Au lendemain de Bygmalion, le duc de Meaux avait regagné son duché, et un triumvirat provisoire d'anciens Premiers faisait patienter jusqu'à l'élection interne d'un nouveau président, aussi Nicolas-le-Dézingueur précipita-t-il son retour. À contrecœur, évidemment. Las ! sa prise du pouvoir au Parti impérial ne se déroula point ainsi qu'il l'avait prévu, acclamé, couronné, seul au-devant et la pitétaille derrière. Il devait rallier les enthousiastes, surprendre et emballer aussitôt les résignés et les pétrifiés, mais comment être à la fois un ancien monarque et un chef partisan ? Il mena donc une campagne bâtarde, ménageant les susceptibilités, se révélant crispé sur ses ritournelles défraîchies et ses anciens ressorts, comme le comique Calvero et ses puces savantes, dans *Les Feux de la rampe*, qui peinait à retrouver son public quand il remonta sur scène ; on l'avait oublié, le public avait changé. L'absence de Nicolas-l'Essoufflé avait cultivé l'attente d'un retour en gloire espéré par les siens, mais sa présence subite, voire prématurée, le condamnait à n'être qu'un parmi les autres ; plus il parlait, plus sa cote baissait. Les gens revoyaient celui qu'ils avaient jeté. Nicolas-le-Bateleur agitait toujours son épaule droite et marchait toujours en canard, chaloupant mieux encore que dans ses caricatures puisqu'il semblait se parodier lui-même, avec ses improvisations recuites, ses mots attendus, ses répliques éculées qui se voulaient drolatiques. Pourquoi se présentait-il à la tête de son parti ? Pour le refonder, disait-il : « Si moi j'fais pas l'travail, qui le fera ? » Ses affaires avec les juges ? « Si j'avais quelque chose à me reprocher, est-ce que je reviendrais ? » On murmura : oui, justement, pour décramponner ces malfaisants au collet en hermine. Il frisait parfois l'humour bizarroïde de Sir Woody Allen lorsqu'il se dérobait devant un piège : « Est-ce que vous m'prêtez deux neurones dans ma tête ? » En meeting, son numéro emportait l'adhésion hilare des convaincus, qui se tordaient de rire quand il brocardait le souverain actuel ; il coupait ses phrases de grimaces, de poses et de gestes ainsi qu'il l'avait appris du music-hall, s'adressait à des personnages imaginés pour illustrer ses sketches et leur donner plus de vérité quotidienne. On attendait qu'il jouât un solo de cornet à piston comme M. Néron touchait la lyre ou le roi Giscard tâtait de l'accordéon en bord de Marne, *Chez Gégène* pour faire peuple.

Démosthène apprit à déclamer en observant le grand acteur Satiras, l'avocat Hérault de Séchelles l'apprit au Théâtre-Français de Mlle Clairon. Il semblait que Nicolas-Babillard apprit d'instinct l'art du discours que définit si bien M. Hérault dans sa *Théorie de l'ambition* : « L'homme n'est grand qu'en proportion de l'estime continue qu'il a pour lui-même. Ainsi évitez les rôles inférieurs et la compagnie des gens méprisables : ces dédaigneux finissent par se faire croire. » Obscurément cette phrase d'un homme d'ordre et néanmoins dirigeant d'une révolution lui tournait dans la tête quand il considérait les petit-bras qui formaient le Parti impérial en dégénérescence, qu'il s'agissait de vivifier. D'où, quand il se produisait sur scène, ce glissando du sourire forcé aux rosseries. Il jugeait cette compétition peu à sa mesure et pensait que sa valeur méritait mieux, mais il devait franchir cette étape infamante pour l'emporter en fin de course sur François-le-Miteux. Contre qui concourait-il ? Contre le piètre M. Mariton engoncé dans ses vestes couleur caca-d'oie ? Contre ce paltoquet de M. le Maire, duc d'Évreux, qui avait remplacé M. de Bré parti se mêler de la Constitution du royaume ? Nicolas-le-Magnifique devait gagner haut la main sur ceux-là.

S'il gagna, ce ne fut point haut la main et il en fut colère. Quoi ? Le duc d'Évreux avait conquis un tiers de ses fidèles ? Il résista pour ne point aller au fenestron parler de sa mauvaise victoire, mais il y alla tard dans la nuit, forcé par ses proches et tordant le nez.

M. le duc d'Évreux avait été enfant et Nicolas-le-Terrible le voyait toujours ainsi quoiqu'il fût son ministre des Troupeaux et Pâturages. Il était connu qu'à cause de sa taille longiligne ses frères l'appelaient autrefois le Flamant rose, aidés en cela par ses jambes interminables et frêles comme des échasses. Franchie la quarantaine, il avait remplumé sa morphologie de grand échalas aux yeux bleus ; malgré ses cheveux courts et prématurément blanchis, il demeurait un nourrisson en politique, cet univers dont il moquait les mœurs poussiéreuses. Pour se différencier il s'arrangeait un parcours moderne, cependant ancré dans l'ancien temps ; il fut longtemps handicapé par son appartenance aux Petits Chanteurs de Chaillot, lesquels donnèrent un concert à Rome devant le pape Jean-Paul II, puis au lycée jésuite Saint-Louis-de-Gonzague où il accomplit la totalité de ses études. Il avait donc une tournure vieille France, particules à l'appui, de sa mère née Fradin de Belâbre à la mère de son arrière-grand-mère brésilienne, Héloïse de Magellan Araguaya. Lui affichait un air sage mais se refusait en volcan éteint. Issu d'une droite réactionnaire et catholique coincée, il voulut en secouer la pesanteur, écrivit des livres et se présenta comme un énarque défroqué, qui valorisait l'apprentissage d'un métier contre de longues études obligatoires, mais il ne devint point plombier et se retrouva précepteur de la fille du duc de Villepin tout en aidant à rédiger les discours hugoliens du père. Quand il brigua la présidence du Parti impérial, le duc d'Évreux trimbala sa haute carcasse dans des spectacles conçus pour le grand public; on le vit chez MM. Ruquier, Bern ou Ardisson afin de se placer, ce qui lui réussit. Il en perdit cinq kilos mais y gagna de nombreuses voix, mettant en avant sa fougue, combattant ceux qu'il désignait comme indétrônables, bref, servant la parole d'une génération plus juvénile et différente dans ses conceptions – sans que l'évidence sautât aux yeux. Il exposa sa vertu, refusa le cumul des charges et démissionna pour cela de la fonction publique qui lui garantissait cependant un avenir. Il entendait modifier un parti crépusculaire mais confortable. Nicolas-le-Féroce fulminait contre ce duc d'Évreux et sa tête d'angelot de la Sixtine, et il le méprisait, le traitait de donneur de leçons qui écrivait en allemand des livres que personne ne lisait: à force de mélanger tout, on en arrivait à d'étranges formules troussées pour nuire.

L'ancien Souverain remit un semblant d'ordre au Parti impérial endetté et engourdi, dont il chamboula l'organisation. Le duc du Touquet, M. Fasquelle, fut nommé trésorier pour réclamer aux élus leurs cotisations non payées ; il éplucha les comptes et traqua les dépenses superflues, rencontra les assureurs et la sécurité pour renégocier des contrats à la baisse, contraignit les militants à payer leur café et à emprunter le métropolitain : il n'y a pas de petites économies, disait-il, en faisant mille contorsions afin qu'on oubliât l'ardoise démesurée que laissa Nicolas-le-Dispendieux.

Ce dernier se retrouva dans la position exacte de François-le-Mou lorsqu'il régentait le Parti social : il dut composer avec des courants contraires qui formaient le Parti impérial, et user de la synthèse, un exercice auquel son caractère à vif ne le disposait point. Ainsi composa-t-il un organigramme fouillis où chacun se reconnût, car on distinguait dans la réalité un centre et une droite endurcie qui voisinait avec le Front populiste quant à ses exécrations. Il inventa des titres vraisemblables pour ménager les susceptibles et il sortit de son chapeau claque deux numéros deux, lui-même étant le frère numéro un comme on disait au Cambodge. La duchesse de Longjumeau, Mme de Prosciutto-Morizet, reçut de ses mains la noble fonction de vice-présidente et l'archidiacre Wauquiez figura en secrétaire général. Ils se détestaient. Chacun voulait empiéter sur les prérogatives de l'autre. Pour l'organigramme imprimé, la duchesse exigea que son nom fût situé trois millimètres plus haut que celui de l'archidiacre exécré. De même, au septième étage du bâtiment amiral, elle chassa du plus noble des bureaux les cartons de son rival qui s'y était déjà installé ; la proximité du secrétariat semblait en effet indiquer la préséance. Il y eut des colères, des menaces et du marchandage mais la duchesse l'emporta tant elle entendait que la hiérarchie fût respectée. De l'École polytechnique elle avait conservé des réflexes ; elle avait appris que dans l'armée, la première chose qu'on apprenait aux conscrits, c'était à reconnaître les galons.

De la même façon que François-le-Myope avait organisé au Château un improbable tandem de conseillers avec MM. Macron et Morelle, jusqu'à la mort d'un des deux, Nicolas-l'Exaspérant aménagea sous lui ce duo boiteux, l'une plus à sa gauche et l'autre très à sa droite, mais celui qui assura le lien avec les militants, ce fut toutefois M. l'archidiacre, lequel continuait à fréquenter dans l'ombre l'ancien cerveau de l'ancien Souverain, l'abominable abbé Buisson, chauve au-dehors comme au-dedans de la tête. Ignorant ces disputailleries, Nicolas-le-Hautain fit tout de même glisser son Parti impérial vers le Front populiste dont il voulait glaner des voix. Alors il s'élança contre l'immigration, le thème favori des apeurés, et tonna contre la poussée inquiétante des envahisseurs mahométans qui espéraient bâtir chez nous leurs nids. À leur encontre il dénonça le tourisme médical (qui concernait surtout les Grands-Bretons) et réprouva l'idée qu'on pût accorder aux étrangers le droit de vote, qu'auparavant il prônait, sous le prétexte que ce droit portait atteinte à l'intégrité de notre territoire dont il faudrait songer à fermer mieux les frontières. Et puis, dans ces hordes déferlantes, ne risquait-on pas l'infiltration d'islamistes déguisés ? M. l'archidiacre voyait valider ses noires idées buissonnières, même si personne ne lui faisait confiance parmi les troupes maigries du Parti impérial, ce que le président balaya d'un nerveux revers de la main : « Oui, je sais, l'problème avec M. l'archidiacre c'est qu'personne peut l'sacquer, mais un s'crétaire général c'est pas fait pour être aimé, hein ? Et puis, comme tout l'monde le hait, il pourra pas durablement comploter contre moi, faute de comploteurs à ses côtés... »

Ayant consolidé un appareil qu'il soumit à sa dévotion, avec une brigade militante pour faire la claque, comme au théâtre, dès qu'il ouvrait la bouche, Nicolas-le-Mielleux chanta le rassemblement et le collectif ; il dénigrait ceux qui essayaient d'utiliser le parti à leur compte et se référait à la devise des mousquetaires, en la dénaturant légèrement : « Un pour tous et tous pour moi ! » Redoutait-il ses rivaux, qu'il devait affronter dans quelques mois à l'élection primaire qui allait désigner le meilleur pour rouler vers le Trône ? Non. Les petits candidats étaient faciles à manipuler et ils grignoteraient ceux qu'on tenait pour ses rivaux, qui le maudissaient dans les antichambres. Le duc de Bordeaux ? Il se plaçait tout en haut dans le baromètre d'amour du peuple, soit, mais après ? Il allait s'essouffler avant de parvenir aux marches du Château, le parcours était trop long pour lui, il était vieux. Le duc de Sablé, M. Fillon ? Nicolas-le-Surineur le méprisait autant que le duc le méprisait. Celui-ci était intarissable pour se lamenter sur le règne où il fut un Premier ministre au bois dormant, pendant cinq ans cramponné à son poste. Il répandait des fables nuisibles mais ses fourberies ne portaient pas loin et il existait à peine ; il fallait un scandale pour qu'il réveillât l'opinion. Justement, un jour, il déjeuna avec M. de Jouyet, devenu le secrétaire particulier de François-le-Dormeur. Peu regardant, M. de Jouyet avait œuvré dans le premier gouvernement du duc, sautant de gauche à droite avant de sauter de droite à gauche sans effort, sans scrupules, sans convictions. Ils déjeunèrent loin des micros, et fort bien, de *moules de bouchot au jus extrait de cabillaud, pommes voilées et grains de caviar* chez Ledoyen, à deux pas du Château, où ils bavardèrent sur le cours des choses. M. de Jouyet s'en confessa à deux gazetiers car il était bavard comme une pie et les secrets lui brûlaient les lèvres : le duc de Sablé lui aurait demandé sans témoin d'accélérer les procédures judiciaires contre Nicolas-le-Menteur, à seule fin de lui dégager la voie vers les sommets. L'affaire éclata et le duc passa pour le prince des fourbes ; il se récria, évoqua une conjuration organisée par le Château. Cela fit grand bruit pendant une semaine au moins.

François-l'Endormi considérait cette branquignolade avec amusement ; tout ce qui entachait la réputation de ses rivaux semblait une bénédiction, d'autant que Nicolas-le-Sauveur exagérait son importance et mentait au besoin avec effronterie. Il s'était proclamé, dans l'une de ses conférences cher payées à Séoul, l'inventeur du G20, ce groupe de pays essentiels qui causait du monde et en décidait l'orientation ; on savait que ce fameux groupe avait été créé neuf ans plus tôt à l'initiative de M. Paul Martin, le ministre de la Finance canadienne. Nicolas-l'Esbroufe se prenait de plus en plus pour le vrai Monarque. Il voulut participer à Cologne à un congrès présidé par Frau Merkel, grâce à laquelle il comptait se redonner une stature mondiale, mais qui le refusa pour ne pas froisser le Souverain légitime en recevant à sa place un simple chef de parti. Ce dernier court-circuitait la politique étrangère de son successeur dès qu'une occasion se présentait. Il fut le seul à critiquer l'intervention militaire au Mali, il fut le premier à annoncer l'abdication du roi d'Espagne, il déjeuna au bord de la mer Noire avec le tsar Vladimir la veille de la visite de celui-ci au Château ; dans son interminable tournée de conférences lucratives, il n'oubliait jamais de se laisser photographier en compagnie des principaux meneurs de la planète, pour se rehausser et prévenir de son retour imminent. François IV regardait ce manège d'un œil narquois et lançait quelquefois une réflexion badine : « Il y en a qui ne se résignent pas à quitter la vie publique », dit-il au milieu d'un discours, à Dakar. En principe, le Prince ne parlait pas de son prédécesseur mais il y pensait en permanence.

François IV arriva de la sorte au mitan de son règne, en haillons mais content de lui. Ce fut au mois de janvier 2015 qu'il dut affronter le choc qui le remonta en selle pendant plusieurs jours, lui regonflant le torse, fignolant son image. Deux crétins islamistes masqués fusillèrent la rédaction d'une gazette satirique dans le quartier de la Bastille, puis un autre crétin du même calibre tira à la mitraillette, deux jours plus tard, sur les clients d'un hypermarché kacher de Vincennes. Il fallut réagir. Quatre millions de personnes descendirent dans les rues de Paris, le dimanche 11 janvier, graves, sans bruit ni slogans, pour protester contre le crétinisme qui nous déclarait la guerre.

CONCLUSION PROVISOIRE DE LA PREMIÈRE MOITIÉ DU RÈGNE DE FRANÇOIS-LE-PETIT

www.crétins.fr

Souvenez-vous. Quand M. Rushdie subit une mortelle fatwa après avoir publié ses *Versets sataniques*, il y eut des indignés pour s'en alarmer, mais, disaient-ils ensuite, l'auteur l'avait bien cherché en signant un livre impie. On vit alors poindre un dangereux crétinisme. Les mêmes expliquèrent que c'était affreux d'assassiner des dessinateurs, mais ils n'avaient qu'à pas se moquer du Prophète, ce qui était une façon détournée d'absoudre les tueurs encagoulés qui, avant de remonter dans leur voiture, crièrent *Mahomet est vengé !* Bref, on leur reconnaissait des raisons. Même discours lorsqu'on tuait des juifs, ce que certains excusaient puisque le gouvernement de Jérusalem bombardait des Arabes à Gaza. Ce fut à ce genre de restriction qu'on put clairement distinguer les civilisés des crétins. À quoi reconnaissait-on le Crétin ? À vue d'œil, il pouvait se nicher dans n'importe quel corps, sans signe distinctif. Donnons la parole à un expert, M. Ambrose Bierce, puissant écrivain né dans une masure de l'Ohio en 1842. Il nous a livré une excellente définition de cette catégorie fâcheuse :

« *Crétin* n. Membre d'une dynastie régnante dans les lettres et dans la vie. Les Crétins firent leur apparition avec Adam, puis, croissant en force et en nombre, ils se répandirent dans tous les lieux habitables. Le secret de leur pouvoir réside en leur insensibilité aux coups ; chatouillez-les avec un gourdin et ils se contenteront de rire sottement. Les Crétins sont originaires de la Béotie d'où ils furent chassés par les privations, les récoltes ayant été perdues par leur stupidité. Ils infestèrent les Philistins pendant un certain nombre de siècles, et c'est la raison pour laquelle certains d'entre eux sont encore de nos jours appelés philistins. Ils se répandirent aux temps troublés des Croisades, et couvrirent progressivement le territoire de l'Europe, occupant de nombreuses places élevées en politique, art, littérature, science et théologie. » À vous de lire la suite dans l'étonnant *Dictionnaire du Diable* de M. Bierce.

Sachez que les massacres provoquent toujours la joie des Crétins, les uns les commettent, les autres dissertent dessus à longueur de temps. Certaines époques de l'Histoire sont plus fertiles à leur multiplication. Sous Charlemagne, par exemple, qui n'inventa point l'école malgré sa légende, les Crétins s'illustrèrent sans le moindre complexe, débridés en cela par la religion, excellent terreau de la crétinisation des esprits. On vit les barbares de Rhénanie, enveloppés dans des manteaux en peaux de rat, polygames et analphabètes, convertir des manants au christianisme par l'épée et le meurtre. Ceux qui mangeaient de la viande pendant le carême étaient exécutés illico. Il fallait réciter le *Livre des Psaumes* sans qu'il fût besoin de le comprendre. Quatre mille cinq cents infidèles furent décapités en Saxe, et le fleuve voisin devint rouge.

Au fil des siècles, les guerres de religion favorisèrent l'éclosion du Crétin morbide. Aujourd'hui, dans les déserts d'Orient, nous assistons à plusieurs Saint-Barthélemy par jour : pour des divergences théologiques, les sunnites de divers pays s'accordent pour trucider les chiites de divers pays, et vice versa, comme à l'époque où nos catholiques pourfendaient pieusement nos parpaillots en chantant des *Ave Maria*. Ces carnages reproduisent les guerres auxquelles se livrent des rats d'égout pour la prise d'un point d'eau ou du ravitaillement ; poubelles et canalisations crevées dans un cas, pétrole et armement dans l'autre, seul diffère le masque de bondieuserie qui couvre les atrocités. Si les rats ne croient qu'en leur ventre, le Crétin Illuminé croit à la lettre de ses livres saints au détriment de leur esprit. Parmi les Crétins adeptes d'une joviale terreur, les wahhabites sont la secte la plus vaillante. Leur doctrine néfaste s'est enrichie avec le temps ; de même, au Cambodge, M. Pol Pot appliqua à la perfection les écrits politiques de M. Saint-Just, déplaçant les villes à la campagne et voyant un enfant de troupe dans n'importe quel marmot.

Le Crétin wahhabite veut arriver à l'Âge d'or par le meurtre. Un de ses ancêtres du XIVe siècle, le Syrien Ibn Taymiyya, interdit les pèlerinages aux mausolées des saints et les châtiments corporels formaient les fondements de sa plaisante doctrine ; des instituts islamiques contemporains étudient encore ses glorieux préceptes.

Le Crétin wahhabite prolifère en Arabie où il est né à proximité des lieux saints, ce qui lui a dérouté le cervelet. Il se coiffe d'une serviette de brasserie à carreaux rouges et blancs, porte à la ceinture un poignard courbe *made in Japan*, est totalement dépourvu d'humour au point que la vue d'une caricature le met en transe. La décapitation reste son passe-temps favori mais il aime aussi fouetter à mort les insolents, comme cet Anglais surpris avec une bouteille de côtes-du-rhône dans le coffre de son auto. Sa police religieuse aime aussi crucifier les cadavres de ses contradicteurs, qu'elle laisse se décomposer au soleil afin d'édifier les masses, lesquelles votent à 90 % pour cet affriolant régime. Les sujets de l'Incommensurable Émir de ces croyants s'agglutinent le vendredi sur une place de Riyad réservée aux exécutions, où l'on découvre en son centre une grille d'égout qui boit le sang. Cela n'empêche point le Crétin wahhabite d'aduler le Veau d'or, et il sait attirer par ses richesses le mécréant qui apporte sa bimbeloterie, ses hélicoptères d'attaque ou ses luxueuses boutiques que fréquentent des épouses voilées comme des porte-manteaux. La fortune immense de ce type de Crétin repose sur les réserves de pétrole trouvées dans son sous-sol. Dès qu'il est devenu un client privilégié de l'Occident, le voici respectable ; on ne l'embête plus avec ses femmes transformées en meubles, ni pour ses crimes, car, dit-on, il ne faut pas attenter à sa dignité toute contenue dans les lois saintes du Marché.

Attention ! Les Crétins wahhabites se divisent en deux espèces antagonistes, les rentables et les maléfiques. Notez que si les maléfiques deviennent rentables, ils perdent leur qualificatif et se muent ipso facto en amis fréquentables. Pour le moment ils foisonnent en Irak et en Syrie où ils souhaitent construire un véritable État en gommant les frontières tirées jadis à la règle par nos peu subtils colons et commerçants. Ils se nomment donc *État islamique*, que nous préférons appeler *Daesh* dans leur langue, ce qui signifie la même chose. Nous n'attachons aucune importance à leur revendication territoriale sur d'immenses déserts, pourtant leurs intentions ne reposent pas sur du sable mouvant. Ils possèdent ainsi une réelle administration qu'ont montée les officiers sunnites chassés de leur armée par Johnny Walker Bush après la capture de leur dictateur M. Saddam, promis sans vrai jugement à la potence. Profitant à son avantage du crétinisme américain, le Crétin maléfique a aussitôt prospéré. Il s'est organisé sur des fondements éprouvés, et, à l'exemple de ses frères richissimes d'Arabie, lesquels récoltent une recette annuelle de quatre-vingt-dix milliards sur le pèlerinage de La Mecque, ils ont fait de l'argent grâce au commerce. Ils écoulent en contrebande leur coton, leurs œuvres d'art et leur pétrole, surtout à travers la Turquie. Ils taxent les camions qui traversent la Syrie et lèvent l'impôt dans les villages que des religieux contrôlent. On leur prête l'intention de frapper leur monnaie et de ressusciter le dinar d'or et le dirham d'argent comme à l'époque du califat des Omeyyades, mais leur pétrole leur rapporte par jour dix millions de dollars en sainte monnaie internationale.

Le Crétin maléfique est si fier de sa réussite qu'il tente d'attirer des fidèles du monde entier. Il a édité pour cela un guide touristique très british où il vante la douceur de vivre en Syrie, ses spécialités culinaires, son climat, son cosmopolitisme et la charmante hospitalité de ses natifs. Certains y croient, qui méritent le nom de *Crétins croyants* : ils font le voyage en avion jusqu'à Istanbul puis un autocar les emporte au pays de cocagne. Pour ceux que la réalité fait déchanter, il est trop tard, pris qu'ils sont comme une mouche dans une toile d'araignée. Parmi les milliers de jeunes directement passés du jeu vidéo à la réalité on répertorie des dizaines de profils différents. Le *Crétin allumé*, par exemple, croit s'engager pour une cause exaltante, ainsi que dans nos années trente des jeunes gens fanatiques partaient rejoindre les phalangistes espagnols à l'Alcázar de Tolède en criant « *Viva la muerte !* » ; en face, chez les républicains espagnols, d'autres assistaient au vaste règlement de comptes entre communistes à la solde de Moscou et anarchistes. La réalité est toujours cruelle et complexe. Moins littéraire, le *Crétin tueur* se recrute souvent en prison où il se convertit essentiellement pour obtenir son permis d'assassiner ; que voulez-vous, il aime le sang et s'excite à l'idée de couper des têtes. Le *Crétin marionnette*, manipulé par les réseaux électroniques, s'extasie devant des films enchanteurs de massacres, réalisés comme *Terminator*, et il essaie de partir au désert pour devenir l'un de ces héros. Les films d'exécutions au couteau dégoûtent les gens normaux, mais qu'auraient-ils dit s'ils avaient des images de la prise de la Bastille, devant la tête tranchée du gouverneur qui pissait le sang au bout d'une pique ? Téléguidés depuis la Syrie, certains *Crétins locaux* exécutent des attentats dans leur propre pays ; on les a longtemps désignés comme des loups solitaires avant de s'apercevoir que la harde en entier les épaulait.

N'oublions pas la masse des *Crétins enrôlés*, disponibles sur place au Moyen-Orient, nés dans ces contrées où l'analphabétisme règne. La moitié de ces populations n'a jamais appris à lire, selon M. Youssi, un professeur d'université à Rabat. En dehors de l'école, où se risquent les autres, un enfant arabe lit six minutes par an selon l'Unesco. Toutefois, combien récitent des versets du Coran en arabe classique, qu'ils ne parlent pas ? Il parlent une autre langue, qui elle ne s'écrit pas. Et c'est ainsi que l'obscurantisme se répand à grande vitesse.

À suivre ? Hélas !

Table

DU MÊME AUTEUR *(suite)*

Avec Michel-Antoine Burnier

LES AVENTURES COMMUNAUTAIRES DE WAO-LE-LAID, Belfond, 1973.
LES COMPLOTS DE LA LIBERTÉ : 1832, Grasset, 1976. (Prix Alexandre-Dumas.)
PARODIES, Balland, 1977.
1848, Grasset, 1977. (Prix Lamartine.)
LE ROLAND BARTHES SANS PEINE, Balland, 1978.
LA FARCE DES CHOSES ET AUTRES PARODIES, Balland, 1982.
LE JOURNALISME SANS PEINE, Plon, 1997.

Avec Jean-Marie Stoerkel

FRONTIÈRE SUISSE, Orban, 1986.

Avec Bernard Haller

LE VISAGE PARLE, Balland, 1988.
FREGOLI, un spectacle de Jérôme Savary, *L'Avant-Scène Théâtre* n° 890, 1991.

Avec André Balland

ORAISONS FUNÈBRES DE DIGNITAIRES POLITIQUES QUI ONT FAIT LEUR TEMPS ET FEIGNENT DE L'IGNORER, Lattès, 1996.

Ce volume a été composé
par MAURY IMPRIMEUR

Cet ouvrage a été imprimé en France
par CPI
en janvier 2016

Grasset s'engage pour
l'environnement en réduisant
l'empreinte carbone de ses livres.
Celle de cet exemplaire est de :
715 g éq. CO_2
Rendez-vous sur
www.grasset-durable.fr

N° d'édition : 19252 – N° d'impression : 133238
Première édition, dépôt légal : décembre 2015
Nouveau tirage, dépôt légal : janvier 2016